Jaime Corpas
Lola Martínez
Maria LLuïsa Sabater

Socios 2

Curso de español
orientado al mundo
del trabajo

Cuaderno de ejercicios

Socios 2

Cuaderno de ejercicios

Autores:
Jaime Corpas
Lola Martínez
Maria Lluïsa Sabater

Coordinación editorial y redacción:
Jaime Corpas

Corrección:
Nuria París y Eduard Sancho

Diseño y dirección de arte:
Estudio Ivan Margot

Maquetación:
Marina Puig

Ilustración:
Joma

Fotografías:
PhotoDisc
Phovoir
Ivan Margot
Bassat, Ogilvy & Mather
Secretaría de Turismo de la República Argentina
Corporación Nacional de Turismo-Colombia

Voces:
Arturo Beltrán (México)
María Isabel Cruz (Colombia)
José Luis Fornés (España)
Mila Lozano (España)
María Inés Molina (Argentina)
Néstor Molina (Argentina)
Mamen Rivera (España)
Víctor Torres (España)

Grabación:
CYO Estudios Audio-Lines, Barcelona

© Los autores y Difusión, S.L. Barcelona 2001
ISBN: 84-89344-95-7
Depósito Legal: B-28.002-2001

Impreso en España por Grafos S.A. Arte sobre papel
Impreso en papel ecológico

**Centro de Investigación y Publicaciones
de Idiomas, S.L.**
C/Trafalgar, 10 entlo. 1ª - 08010 BARCELONA
e-mail: editred@intercom.es
http://www.difusion.com

DIFUSIÓN

Socios 2 Cuaderno de ejercicios se estructura en doce unidades. El objetivo de este cuaderno es reforzar y consolidar los contenidos gramaticales, léxicos y comunicativos que se presentan en el *Libro del alumno* y que son necesarios para la realización de la tarea final propuesta en cada una de sus unidades.

La mayoría de las actividades que ofrece el libro están diseñadas para ser realizadas individualmente, bien en casa o en clase, al hilo de las actividades del *Libro del alumno*. Aquéllas que requieren un trabajo de interacción oral dan muestras de lengua precedidas por el icono 🗣 ; los ejercicios de comprensión auditiva, están señalados con el icono 🎧 .

Las actividades inciden en diversos aspectos morfosintácticos, funcionales, de vocabulario y en cuestiones socioculturales, intentando siempre proponer mecanismos motivadores que impliquen al aprendiz personalmente y le ayuden a desarrollar sus destrezas. Se presentan, además, minitareas que permiten reflexionar sobre determinados fenómenos lingüísticos para, a través de un proceso de descubrimiento, poder construir una regla que los explique.

Este cuaderno de ejercicios permite a profesores y a estudiantes tomar conciencia de la marcha del aprendizaje. Para ello ofrece, después de cada tres unidades, la sección "Comprueba tus conocimientos", una doble página de autoevaluación con cuatro actividades en las que se evalúan los conocimientos gramaticales y léxicos adquiridos, así como la progresión del alumno en las diferentes destrezas.

El **Cuaderno de ejercicios** va acompañado también de una **Carpeta de audiciones** indispensable para la realización de las actividades de comprensión auditiva.

Compañeros de trabajo

Ejercicios

1

A. ¿Qué preguntas corresponden a estas respuestas? Escríbelas.

INFORMACIÓN PERSONAL

1... *Natalia Ortíz.*

2... *28.*

3... *Vivo en San Sebastián.*

4... *Estudio periodismo. También trabajo en un restaurante.*

5... *Inglés y francés.*

6... *Me gusta mucho el cine y me encanta cocinar.*

B. Escucha y comprueba.

C. ¿A qué conceptos se refieren las preguntas y las respuestas anteriores?

☐ IDIOMAS	☐ EDAD
☐ NOMBRE	☐ OCUPACIÓN
☐ AFICIONES	☐ LUGAR DE RESIDENCIA

2

Imagina que quieres suscribirte a una publicación para estudiantes de español.
Rellena la hoja de suscripción.

DATOS PERSONALES

Nombre _____

Edad _____

Lugar de residencia _____
_____

Ocupación _____

Idiomas _____

Aficiones _____
_____

3 A. En esta sopa de letras se esconden diez idiomas que se hablan en el mundo. ¿Puedes encontrarlos?

A	F	R	A	N	C	E	S	T	U	K
J	W	E	S	O	A	F	R	U	S	O
A	E	H	O	L	A	N	D	E	S	Y
P	T	A	R	A	B	E	Z	A	I	I
O	E	P	A	R	A	J	O	L	N	N
N	A	J	O	C	E	A	T	S	Ñ	G
E	S	P	A	Ñ	O	L	P	U	O	L
S	G	L	O	E	H	E	A	F	A	E
S	I	T	A	L	I	A	N	O	L	S
L	U	B	V	N	E	F	A	S	E	C
P	O	R	T	U	G	U	E	S	M	I
M	T	U	N	O	P	L	I	U	A	S
E	U	I	O	M	N	G	U	Y	N	S

B. ¿En qué lugares hablan los idiomas anteriores? Coméntalo con tu compañero.

◇ El francés lo hablan en Francia pero también en muchos países de África, por ejemplo en...

4 A. ¿Recuerdas cómo se conjugan los verbos en Presente de Indicativo?

	ORGANIZAR	CREER	REUNIRSE
(yo)	organiz...	cre...	me reún...
(tú)	organiz...	cre...	te reún...
(él, ella, usted)	organiz...	cre...	se reún...
(nosotros/as)	organiz...	cre...	nos reun...
(vosotros/as)	organiz...	cre...	os reun...
(ellos, ellas, ustedes)	organiz...	cre...	se reún...

B. Todos estos verbos son irregulares en Presente de Indicativo. Completa la tabla con los verbos que faltan.

	atender	acostarse	competir	jugar	dar
yo			*compito*		
tú	*atiendes*			*juegas*	
él, ella, usted		*se acuesta*			*da*
nosotros/as				*jugamos*	
vosotros/as		*os acostáis*			*dais*
ellos, ellas, ustedes	*atienden*		*compiten*		

C. ¿Qué tipo de irregularidad tienen los verbos del apartado B?

E – IE	E – I	O – UE	U – UE	1ª persona del singular
atender				

D. ¿A qué grupo de verbos irregulares corresponden estos verbos?

hacer   estar   ofrecer   pensar   querer   conocer   encontrar   salir   dormir
volver   poner   traducir   traer   poder   empezar   saber   pedir   dormir

5 **A.** Éste es el cuestionario que tienen que rellenar los clientes de un gimnasio cuando se matriculan. ¿Por qué no lo completas tú?

HÁBITOS DE SALUD

○ 1. ¿Qué deportes practicas? ....

2. ¿Fumas? ....

3. ¿Bebes alcohol? ....

○ 4. ¿Cuántas horas duermes normalmente? ....

5. ¿A qué hora te acuestas? ....

6. ¿A que hora te levantas? ....

○ 7. ¿Qué desayunas? ....

8. ¿Qué prefieres: la carne o la verdura? ....

9. ¿Qué medio de transporte utilizas para ir al trabajo o a clase? ....

○ 10. ¿Pasas muchas horas al día sentado/a? ....

B. Intercambia tu cuestionario con el de un compañero. ¿Crees que lleva una vida sana? Comentadlo.

 ✧ Tú llevas una vida muy sana, ¿no? Duermes más de ocho horas cada día...

6 **A.** Completa las frases con **por**, **para** o **porque**.

1. A veces los fines de semana me quedo en casa .... estoy cansado.

2. Normalmente me levanto muy temprano .... hacer gimnasia.

3. El año pasado estuve viajando .... Asia.

4. La persona que entrevistamos ayer es ideal .... el Departamento de Ventas.

5. Me encanta vivir en el campo .... la tranquilidad. Odio la ciudad.

6. No me van a dar el trabajo .... no tengo experiencia.

7. Me encanta pasear .... la ciudad.

8. Tenemos que hablar con el jefe de Marketing .... estudiar cómo vamos a hacer la promoción.

9. No he aceptado el trabajo .... el horario.

10. Queremos a una persona muy sociable .... la recepción.

B. Ahora observa las frases y completa el cuadro para saber cuándo se puede usar **por**, **para** o **porque**.

Si queremos expresar **causa** podemos utilizar [   ], seguido de un sustantivo o [   ] antes de un verbo conjugado. La preposición [   ] también sirve para expresar **movimiento** en un lugar. Si queremos expresar la **finalidad** o el objetivo de una acción, o referirnos a un **destinatario**, podemos utilizar la preposición [   ].

7 **A.** Todas estas palabras están relacionadas con el mundo de la empresa. Algunas se refieren a personas o entidades, y otras a documentos escritos. Agrúpalas.

PERSONAS O ENTIDADES	DOCUMENTOS
Un candidato	una factura
un trabajador	una nómina
un distribuidor	una baja
un proveedor	un contrato
un cliente	un albarán

una factura
una nómina
un candidato
un trabajador
una baja
un contrato
un albarán
un distribuidor
un proveedor
un cliente

B. Aquí tienes las definiciones de algunas de las palabras anteriores. ¿A qué palabras se refieren?

1. Es un documento que indica el importe que hay que pagar por un producto o un servicio:

la factura

2. Es una empresa o una persona que suministra productos a una empresa:

un distribuidor

3. Es un documento que entrega un trabajador a una empresa cuando está enfermo:

la baja

4. Es una empresa que vende y comercializa productos a otras empresas:

un proveedor

5. Es el papel oficial que recibe el trabajador cuando le pagan el sueldo:

una nomina

C. Busca otras palabras en el texto de la página 8 del *Libro del alumno* y descríbeselas a tu compañero. Tiene que adivinar a qué palabra te refieres.

8 A. ¿En qué departamentos crees que realizan estas actividades? Puede haber más de una posibilidad.

1. LLevar las cuentas	B
2. Enviar la correspondencia	B
3. Visitar a los distribuidores	C
4. Tomar nota de los pedidos	C, D
5. Organizar cursos para los trabajadores	A
6. Controlar el transporte de un envío	C
7. Atender una reclamación	D, B
8. Promocionar un producto	E

A	Dpto. de Formación
B	Dpto. de Administración
C	Dpto. de Logística
D	Dpto. de Ventas
E	Dpto. de Marketing

B. Comenta con tu compañero qué actividades realiza cada departamento.

◇ En el Departamento de Formación organizan...

9 A. ¿Qué crees que hacen estas personas en su trabajo? Coméntalo con tu compañero.

1. Elisa Castro
Departamento de Personal

2. Eugenio Gaspar
Departamento de Logística

3. Mariano Gallegos
Departamento de Contabilidad

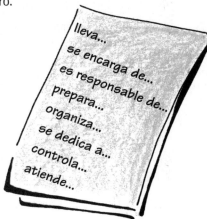

lleva...
se encarga de...
es responsable de...
prepara...
organiza...
se dedica a...
controla...
atiende...

◇ Elisa se encarga de los contratos...
★ Sí, y también es responsable de...

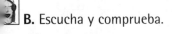

B. Escucha y comprueba.

10 A. Completa este cuadro con las formas de los verbos que faltan.

	SER	ESTAR
yo	*soy*	
tú		
él, ella, usted		
nosotros/as		*estamos*
vosotros/as		
ellos, ellas, ustedes		

B. Escribe una frase sobre ti con el verbo **ser** y otra con el verbo **estar**.

11 Lee la descripción que hacen estas personas de ellas mismas.
¿Te pareces a alguna de las tres? Coméntalo con tu compañero.

Ana

Montserrat

Pedro

Soy muy sociable y dinámica. Se me da muy bien tratar con la gente. Nunca estoy de mal humor, aunque, a veces, cuando estoy un poco estresada y nerviosa, prefiero estar sola.

Dicen que soy muy organizada y muy seria. Siempre estoy ocupada y no me gusta nada dejar las cosas para mañana. Me encanta mi trabajo.

En general, soy una persona alegre pero cuando estoy enfadado es mejor no estar muy cerca de mí. Soy muy impaciente y un poco nervioso. Tengo muchísima energía y necesito estar siempre ocupado.

 ✧ Yo soy como Ana, muy sociable...

12 ¿Cómo crees que están estas personas?

1. Marisa tiene un examen muy importante mañana.

   Está nerviosa.

2. Alberto está en la cama. Tiene que visitarlo el médico esta tarde.

3. Juan y Ramón han trabajado mucho hoy.

4. Carmen ha perdido las llaves de la oficina.

5. Los padres de Mercedes están esperándola. Son las tres de la madrugada.

6. Hoy es el cumpleaños de Pedro y va a salir a cenar con unos amigos.

7. Marta se ha dormido y va a llegar muy tarde al trabajo.

8. Antonio ha suspendido un curso y tiene que repetirlo.

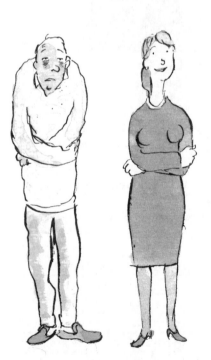

13 ¿Sabes cuándo se usan los verbos **ser** y **estar**? Relaciona los ejemplos y los diferentes usos.

1. Éste es mi coche.

2. Mis amigos son arquitectos.

3. Estamos en el centro de Buenos Aires.

4. Sandra es venezolana.

5. Hoy estoy muy nervioso porque tengo que ir al médico.

6. Soy una persona muy tranquila.

7. Ahora estoy preparando la cena y no puedo salir.

Usos del verbo ser

A. Expresar origen o nacionalidad.

B. Hablar de la profesión o de la actividad laboral.

C. Identificar algo o a alguien.

D. Describir las características de algo o de alguien.

Usos del verbo estar

E. Expresar una acción que está ocurriendo.

F. Describir el estado físico o de ánimo.

G. Expresar la localización o la ubicación de algo o de alguien.

14 Completa las frases con los verbos **ser** o **estar**.

1. _____ muy sociable. Me encanta la gente.

2. _____ periodista. Trabajo para una revista internacional.

3. Vosotros _____ brasileños, ¿no?

4. No sé dónde _____ los niños. _____ preocupado.

5. Mis colegas y yo _____ preparando la nueva campaña de promoción.

6. ¿De dónde _____ usted? ¿De Venezuela?

7. _____ muy cansada, creo que me voy a ir a la cama.

8. Lima _____ una ciudad preciosa.

15 **A.** ¿Qué relación crees que tiene Miguel con estas personas? Escríbelo.

Se lleva bien con...

Se lleva mal con...

Le cae/n bien...

Le cae/n mal...

1. Pablo, su hijo

5. Petra, su mujer
(llevan 25 años casados)

2. Pedro, el
nuevo amigo de su hija

Miguel

6. El señor Andrade
(un nuevo cliente)

7. Carlota, su hija

3. Ángel, hace 5 años
que trabaja con Miguel

4. El señor Cosme y
la señora Remedios, sus suegros

8. Pedro, un compañero de trabajo (hace dos días
que empezó a trabajar con Miguel)

1. *Se lleva mal con su hijo.*

2. _____

3. _____

4. _____

5. _____

6. _____

7. _____

8. _____

B. ¿Sabes ahora la diferencia entre **llevarse bien/mal** y **caer bien/mal**?

Cuando nos referimos a cómo es nuestra relación con alguien utilizamos la expresión [____] **bien** o **mal**.
Cuando no conocemos muy bien a una persona y queremos referirnos a la impresión que tenemos de ella, decimos
que esa persona nos [____] **bien** o **mal**.

16 **A.** Escribe los pronombres que faltan.

llamarse

(yo)	__*me* llamo...
(tú)	——— llamas...
(él, ella, usted)	——— llama...
(nosotros/as)	——— llamamos...
(vosotros/as)	——— llamáis...
(ellos, ellas, ustedes)	——— llaman...

gustar

(a mí)	__*me* gusta/n...
(a ti)	——— gusta/n...
(a él, a ella, a usted)	——— gusta/n...
(a nosotros/as)	——— gusta/n...
(a vosotros/as)	——— gusta/n...
(a ellos, a ellas, a ustedes)	——— gusta/n...

B. ¿Qué diferencias observas entre el verbo **llamarse** y el verbo **gustar**? ¿Conoces otros verbos que funcionen de la misma manera? Intenta elaborar una lista con verbos como **llamarse** o **gustar**.

17 **A.** Escucha las opiniones de algunos expertos sobre las cualidades que más valoran las empresas en los jóvenes que buscan trabajo. Escribe las palabras que faltan.

1. Luis Sampedro, recién diplomado en Relaciones Laborales:

"_____ que las empresas buscan, sobre todo, gente dinámica, con capacidad de trabajo, actitud abierta y capaz de ponerse al día rápidamente".

3. Berta San Juan, directora de COSMO TEC, una empresa de telecomunicaciones:

"_____, la capacidad de trabajar en equipo, de comunicar entusiasmo, tener conocimientos del mundo de la empresa y ser flexible para adaptarse a los cambios son las cualidades más buscadas por las empresas".

2. Emilio Gutiérrez, profesor universitario de Economía de la Empresa:

"_____, es fundamental la capacidad de comunicación, la amabilidad y el interés por los demás".

4. Pablo del Olmo, director general de TRConsulting:

"A mí _____ que la credibilidad y la honestidad, junto con una sólida formación y experiencia son los requisitos que más valoran las empresas".

B. En el apartado anterior has escrito expresiones que sirven para expresar opinión sobre un tema. Según tu opinión, ¿qué es lo que más valoran las empresas hoy en día? Escríbelo.

18 **A.** Comenta con tu compañero cuáles de estas cosas se te dan bien y cuáles mal.

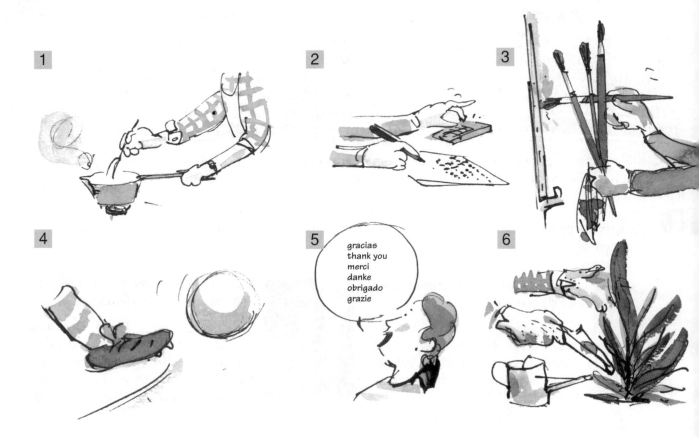

◇ A mí se me **da** muy bien cocinar.

B. Observa cómo funciona este verbo y compáralo con el verbo **gustar**.

se me se te se le se nos se os se les	da/n bien/mal...

me te le nos os les	gusta/n...

La expresión **dársele bien o mal algo a alguien** funciona igual que el verbo **gustar** pero antes de los pronombres **me, te, le, nos, os, les**, siempre aparece el pronombre **se**.

19 Éste es el organigrama de Modamás, una empresa que fabrica ropa para jóvenes. ¿En qué departamento crees que puedes trabajar? ¿Por qué? Coméntalo con tu compañero.

m+ modamás

DIRECCIÓN GENERAL	DIRECCIÓN FINANCIERA	Dpto. de Administración	Recepción de llamadas. Gestión administrativa: correspondencia, reclamaciones, facturas. Atención al cliente.
		Dpto. de Contabilidad	Control de facturas y albaranes, órdenes de pago... Gestión bancaria.
	DIRECCIÓN DE PRODUCCIÓN	Dpto. de Investigación y Desarrollo	Estudio y análisis de los productos: producción, materiales, costes...
		Dpto. de Logística	Almacén. Envíos. Embalaje. Control de stock. Transporte.
	DIRECCIÓN DE PERSONAL	Dpto. de Selección de Personal	Selección de personal. Contratación. Formación interna.
		Dpto. de Administración de Personal	Contratación. Nóminas. Seguridad social.
	DIRECCIÓN COMERCIAL	Dpto. de Marketing	Estudios de mercado. Publicidad. Campañas de promoción.
		Dpto. de Ventas	Pedidos. Contacto directo con clientes y distribuidores.

◇ Yo puedo trabajar en el Departamento de Ventas. Se me
  da muy bien relacionarme con la gente y...

20 ¿Recuerdas cómo se conjuga el verbo **estar** en Pretérito Perfecto y en Indefinido?

Pretérito Perfecto
....
has estado
....
hemos estado
....
han estado

Pretérito Indefinido
estuve
....
estuvo
....
estuvisteis
....

21 **A.** ¿Has estado haciendo alguna de estas cosas antes de venir a clase?

1. He estado durmiendo hasta muy tarde.	
2. He estado trabajando.	
3. He estado estudiando español.	
4. He estado hablando con un compañero de clase.	
5. He estado leyendo el periódico.	
6. He estado limpiando mi casa.	
7. He estado paseando.	
8. He estado tomando un café con un amigo.	

B. ¿Y anoche? ¿Estuviste haciendo alguna de estas cosas antes de acostarte?

1. Estuve cenando con unos clientes.	
2. Estuve viendo la televisión.	
3. Estuve leyendo un libro.	
4. Estuve trabajando hasta muy tarde.	
5. Estuve hablando por teléfono con un/a amigo/a.	
6. Estuve haciendo deporte.	
7. Estuve escribiendo cartas.	
8. Estuve estudiando para un examen.	

C. ¿Cuántos compañeros coinciden en algo contigo? Pregúntales.

◇ ¿Has estado leyendo el periódico antes de venir a clase?
★ No. ¿Y tú estuviste cenando con alguien anoche?

22 **A.** Luisa y Marcos están hablando sobre lo que hacen normalmente después de levantarse. ¿Quién dice estas frases, Luisa o Marcos?

	Luisa	Marcos
1. Lo primero que hago es poner la radio.		
2. Pues yo, lo primero que hago es abrir la ventana.		
3. A veces, salgo de casa sin desayunar nada...		
4. No puedo despertarme si no me tomo un café.		
5. Necesito leer algo antes de salir de casa.		
6. Me gusta hacer un poco de ejercicio.		

B. Comenta con tu compañero cuáles son tus hábitos por la mañana antes de salir de casa.

◇ Yo, si no me tomo una ducha, no me despierto.
★ Pues yo, a veces, lo que hago es hacer un poco de ejercicio...

23 Escribe qué haces normalmente en un día normal, durante la semana. Si trabajas, describe en qué consiste tu trabajo. Si estudias, describe cómo organizas tu día.

Normalmente me levanto a las...

De viaje

Ejercicios

1 Hablar de cantidad de personas

2 Medios de transporte

3 Informe: los españoles y el turismo

4 Informe sobre los movimientos turísticos de la clase

5 Vocabulario. Alojamiento, equipaje, estaciones y meses del año

6 Pronombres

7 Expresar gustos y sentimientos

8 Pretérito Perfecto. Participios irregulares

9 Verbos ir y estar

10 Pretérito Perfecto/Pretérito Indefinido. Marcadores temporales

11 Pretérito Perfecto/Pretérito Indefinido en España y en Argentina

12 Pretérito Perfecto/Pretérito Indefinido. Marcadores temporales

13 Cuestionario (Pretérito Perfecto/ Pretérito Indefinido)

14 Unas vacaciones en Colombia

15 Condicional

16 Aconsejar. Yo que tú..., yo..., en tu lugar...

17 Me gustaría + Infinitivo

18 El tiempo

19 Prendas de vestir y estaciones del año

20 Llevar, traer, ir y venir

1 **A.** Ordena de más a menos.

todo el mundo

casi nadie

algunas personas

mucha gente

la mayoría de la gente

poca gente

nadie

+ *todo el mundo* _____

_____

_____

_____

_____

_____

_____

- _____

B. Elige tres de las expresiones anteriores y escribe tres frases sobre costumbres de tu país relacionadas con las vacaciones.

2 **A.** Hay muchas maneras de desplazarse de un lugar a otro. Escribe los nombres de estos medios de transporte.

taxi
moto
bicicleta
coche
autobús
metro
tren
barco
avión
tranvía

1 _____

2 _____

3 _____

4 _____

5 _____

6 _____

7 _____

8 _____

9 _____

10 _____

B. ¿Qué medio de transporte utilizas con más frecuencia?

◇ Normalmente voy en metro a todas partes.
★ Pues yo voy mucho a pie.

3 A. Aquí tienes cuatro gráficos que corresponden a un informe sobre los movimientos turísticos de los españoles. Lee el texto y decide qué título corresponde a cada gráfico.

1. Destinos de los viajes turísticos de los españoles
2. Medios de transporte utilizados en los viajes por España
3. Motivos de los viajes con destino al extranjero
4. Tipos de viajes que realizan los españoles

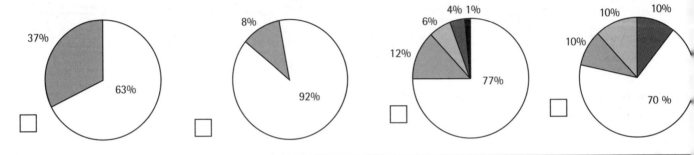

LOS ESPAÑOLES Y EL TURISMO
Viajes a la segunda residencia y viajes de turismo

Durante 1999, la mitad de los cerca de 40 millones de residentes en España efectuó algún tipo de viaje, ya sea a una segunda residencia o a un destino propiamente turístico. Los viajes a una segunda residencia representaron el 63%. Se consideran segundas residencias las viviendas en las que no se vive habitualmente; pueden ser viviendas en propiedad, alquiladas, o bien casas de familiares o amigos. Además, se realizaron más de 43 millones de viajes turísticos (37% del total de los viajes).

El 92% de estos viajes tuvo como destino el territorio nacional; el 8% restante, el extranjero, principalmente países europeos. Cuando viajan por España, los españoles escogen mayoritariamente (78%) sitios donde ya han estado anteriormente. Los viajeros que eligen como destino un lugar que no han visitado, se decantan, en su mayoría, por el norte de España y las islas (Canarias y Baleares). Un 74% de los viajes al extranjero se hizo a Europa, sobre todo, a los países vecinos:

Francia fue el destino del 22% de los viajes, Portugal del 14% y Andorra del 11%. Los países preferidos por la mayoría de los españoles que no van a Europa son Estados Unidos y Marruecos (4% del total de los viajes).

Son varios los motivos que mueven a los españoles a viajar. Hacer vacaciones supuso un 70% del total de los desplazamientos, tanto por el territorio nacional como por el extranjero. En los viajes por España, el segundo de los motivos fue visitar a familiares o a amigos (18%). Este porcentaje se reduce al 10% si los familiares y amigos viven en el extranjero. Sin embargo, se realizaron más viajes de negocios fuera del territorio nacional (10%) que dentro (sólo el 4%). El resto del porcentaje corresponde a otros motivos.

El medio de transporte más utilizado para viajar dentro de España es el coche, que se usa en el 77% de los viajes; por orden de importancia le siguen el autobús (12%), el avión (6%), el tren (4%) y el barco (1%). En los viajes al

extranjero, la mitad de los españoles se desplazaron en avión y el 34% en coche.

La vivienda de familiares o amigos es el tipo de alojamiento más utilizado por los españoles en sus viajes por España; se recurre a ella en el 43% de las ocasiones. En cambio, sólo se alojan en hoteles en el 22% de los casos, mientras que, en los viajes al extranjero se utiliza principalmente el hotel (61%).

Por lo que respecta a la organización de sus estancias fuera de casa, en el 67% de los casos, los españoles optan por no hacer reservas de ningún tipo. Si los viajes son de corta duración, en la mayoría de las ocasiones, se planifican el día anterior o el mismo día. Sin embargo, en los viajes de larga duración, el tiempo de antelación en la planificación más habitual oscila entre una semana y un mes.

(Informe del Instituto de Estudios Turísticos)

B. Vuelve a leer el texto y completa las frases con la información que tienes.

Casi todo el mundo_____

La mayoría de los españoles _____

La mitad de los españoles _____

Poca gente _____

Algunos_____

Casi nadie_____

Nadie_*viaja en bicicleta.*_____

4 **A.** Pregunta a tu compañero cómo pasa normalmente sus vacaciones y toma notas.

Destino:

Medio de transporte:

Alojamiento:

Motivo del viaje:

◇ ¿Y tú dónde pasas las vacaciones normalmente?

B. Entre todos intentad completar los gráficos que representen los movimientos turísticos de la clase.

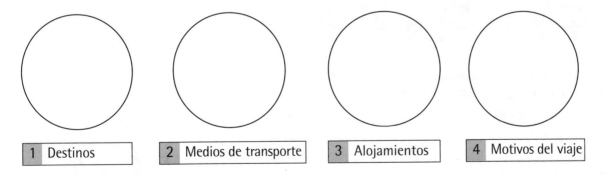

| 1 Destinos | 2 Medios de transporte | 3 Alojamientos | 4 Motivos del viaje |

C. Escribe un pequeño informe sobre los movimientos turísticos de la clase. Utiliza los datos de los gráficos anteriores.

En la clase, la mayoría pasa sus vacaciones en...

5 Clasifica estas palabras.

hotel	verano	otoño	pasaporte	enero
julio	cámping	diciembre	invierno	maleta
pensión	primavera	pijama	tarjeta de crédito	agosto
apartamento	febrero	mochila	cámara	gafas de sol

alojamiento	equipaje	estaciones del año	meses del año

6 **A.** Relaciona las dos columnas para formar frases.

1. (A mí)
2. (A ustedes)
3. A Juan y a mí,
4. Señora Requena, ¿a usted
5. A vosotros,
6. (A ti)

a. nos ponen nerviosos los retrasos en los viajes.
b. Te pone de mal humor viajar en autobús, ¿verdad?
c. Me encantan los viajes en avión.
d. ¿os molesta el ruido de los coches?
e. le importa si el hotel es de una categoría inferior?
f. ¿Les interesa el arte?

B. Ahora escribe los pronombres.

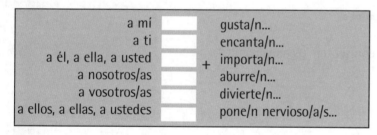

a mí		gusta/n...
a ti		encanta/n...
a él, a ella, a usted		importa/n...
a nosotros/as	+	aburre/n...
a vosotros/as		divierte/n...
a ellos, a ellas, a ustedes		pone/n nervioso/a/s...

7 **A.** Piensa en los viajes que has hecho y termina las frases según tu experiencia. Escribe las frases en un papel y dáselo a tu profesor.

1. Me gustan _____
2. Me pone muy nervioso/a _____
3. No soporto _____
4. No me interesa _____
5. Me divierte _____
6. Odio _____
7. Me molesta _____
8. Me encantan _____

B. Lee el papel que te ha dado tu profesor. ¿Sabes qué compañero ha escrito las frases que has leído?

8 A. ¿Te identificas con alguna de estas frases?

☐ Todavía no he probado la paella.

☐ Hoy he comido poco.

☐ No he compartido nunca un piso con estudiantes.

☐ He estado en España muchas veces.

☐ Esta semana no he trabajado.

☐ Este año no he tenido vacaciones.

B. Ahora completa las formas de los participios.

PRETÉRITO PERFECTO (haber + Participio)

(yo)	he		
(tú)	has	viaj	
(él, ella, usted)	ha	com	
(nosotros/as)	hemos	viv	
(vosotros/as)	habéis	+	
(ellos, ellas, ustedes)	han		

C. Completa el cuadro.

Los verbos de la primera conjugación (-ar) forman su Participio con la terminación ⬚ : hab<u>lado</u>.
Los verbos de la segunda conjugación (-er) y de la tercera (-ir) forman su Participio con la misma
terminación ⬚ : comprend<u>ido</u> y recib<u>ido</u>.

D. Algunos participios son irregulares. Aquí tienes algunos de los más importantes.
Relaciónalos con el Infinitivo correspondiente.

descubierto	vuelto	hecho	abierto

puesto	cubierto	muerto	dicho

visto	frito	roto	escrito

abrir: _____   hacer: _____

cubrir: _____   poner: _____

decir: _____   morir: _____

descubrir: _____   romper: _____

escribir: _____   ver: _____

freír: _____   volver: _____

9 ¿Recuerdas cómo se conjugan los verbos **ir** y **estar** en Pretérito Indefinido?

IR
fui
....
fue
....
fuisteis
....

ESTAR
....
estuviste
....
estuvimos
....
estuvieron

 **10 A.** Juan y Rosa están hablando sobre los viajes que han hecho. Escucha la conversación. ¿Quién viaja más: Juan o Rosa?

 B. Escucha otra vez y completa las frases.

JUAN

1. ███████████████ dos veces.
2. Todavía no ███████
3. En abril ███████
4. Estas vacaciones ███████
5. En el 94 ███████

ROSA

1. Hace tres días ███████
2. El año pasado ███████
3. Este año ███████
4. En mayo ███████
5. Nunca ███████

C. Aquí tienes una lista de marcadores temporales. ¿A qué tiempo verbal acompañan?

ayer
todavía no
nunca
tres veces
el otro día
el martes
esta semana
hoy
anteayer
la semana pasada
en abril
en 1989
hace tres años

PRETÉRITO INDEFINIDO
ayer
_____
_____
_____
_____
_____
_____
_____
_____

PRETÉRITO PERFECTO
_____
_____
_____
_____
_____
_____
_____
_____

11 A. En muchos países donde se habla español el uso del Pretérito Perfecto y del Pretérito Indefinido es diferente. Un profesor español y una profesora argentina están hablando sobre este tema. Escucha y toma notas.

EN ESPAÑA:
Pretérito Perfecto:
Pretérito Indefinido:

EN ARGENTINA:
Pretérito Perfecto:
Pretérito Indefinido:

12 Escribe frases sobre cosas que has hecho o que hiciste.

1. Ayer _____

2. Nunca _____

3. Este fin de semana _____

4. Hace dos años _____

5. Todavía no _____

6. Hoy _____

7. En 1998 _____

8. Este año _____

13 Pregunta a tu compañero si ha hecho estas cosas alguna vez. Si responde que sí, pregúntale cuándo fue la última vez.

	Sí	No	¿Cuándo?
1. Viajar en barco			
2. Coser un botón			
3. Jugar a tenis			
4. Ir a un circo			
5. Perder las maletas			
6. Acostarse a las 6 de la mañana			
7. Preparar una cena para unos amigos			
8. Pasar las vacaciones con tu familia			

◇ ¿Has viajado en barco alguna vez?
★ Sí.
◇ ¿Cuándo fue la última vez?
★ La última vez que viajé en barco fue hace tres años...

14 **A.** En este texto una persona nos habala de sus vacaciones. Léelo y decide
si las frases son verdad o mentira.

		verdadero	falso
1	Es la primera vez que ha estado en Colombia.		
2	Subieron al monte de Montserrate a pie.		
3	En Bogotá tuvieron mucho calor.		
4	En Cartagena de Indias hay unas playas fantásticas.		
5	Fueron a Cartagena de Indias en barco.		
6	De todos los países que conoce, Colombia es el que más le ha gustado.		

Mi viaje

De visita en Colombia

He estado dos veces en Colombia y es un país que me apasiona. Santa Fé de Bogotá es una ciudad preciosa. Tiene un barrio, La Candelaria, que está lleno de edificios coloniales y de museos. Un día subimos en teleférico a Montserrate, un monte desde el que se pueden ver las mejores vistas de la ciudad. Recuerdo que allá tomamos unos tamales con chocolate riquísimos.

La cocina colombiana es muy rica y variada. Son típicas las arepas, los frijoles y la yuca. Los zumos de fruta tropical son exquisitos. Y el café normalmente se toma solo. Por cierto, allá lo llaman tinto y es delicioso.

En Bogotá el clima es perfecto, no hace mucho frío ni mucho calor, las temperaturas oscilan entre los 15 y los 18 grados. Desde allí, viajamos en todoterreno a la laguna de Guatavita, donde dicen que los conquistadores españoles buscaron El Dorado. Es un lugar espectacular.

También fuimos a Cartagena de Indias. Desde Bogotá, en avión, tardamos sólo una hora. Es una ciudad situada en el Caribe y tiene unos edificios muy coloridos, unas playas fabulosas y una gente alegre y simpática. Una noche fuimos a una sala de baile a bailar salsa. Me apasiona la música caribeña.

En Colombia me impresionó la flora y la fauna, la arquitectura colonial, y sobre todo, la amabilidad de los colombianos. Es el país más bonito que he visto en mi vida.

B. Escribe cómo fueron tus vacaciones en un lugar que te gustó mucho. Utiliza
el texto anterior como modelo.

15 A. Completa las terminaciones de los verbos que faltan.

CONDICIONAL		
PREPARAR	COMER	PEDIR
prepararía	comer____	pediría
preparar____	comerías	pedir____
prepararía	comer____	pediría
preparar____	comeríamos	pedir____
prepararíais	comer____	pediríais
preparar____	comerían	pedir____

B. ¿Sabes cómo se conjugan estos verbos en primera persona (o en tercera persona)? Recuerda que son irregulares.

decir: _*diría*_   querer: _____

venir: _____   salir: _____

hacer: _____   tener: _____

poder: _____   saber: _____

C. Completa el texto con las palabras que faltan.

| Infinitivo | | Futuro | | Condicional |

Todos los verbos en _____ se conjugan de la misma forma. Los verbos regulares se forman a partir del _____ completo y después se añaden las terminaciones -ía, -ías, -ía, -íamos, íais, -ían. Por ejemplo: **preparar-prepararía..., comer-comería..., pedir-pediría...** Los verbos irregulares cambian la raíz y tienen la misma irregularidad que los verbos en _____, por ejemplo: **decir-diría.**

16 A. Vas a escuchar a varias personas que están en situaciones en las que no saben qué hacer. ¿Qué les pasa?

1._____

2._____

3._____

B. ¿Cuál de estos consejos le darías a cada una?

A. Yo, en tu lugar, les llevaría un pastel.
B. Yo, me esperaría un poco más...
C. Yo que tú, primero iría a dar un paseo por el centro de la ciudad.

C. ¿Qué otros consejos les darías tú? Escribe uno para cada persona.

1._____

2._____

3._____

17 ¿Cuáles son tus deseos sobre los siguientes aspectos? Coméntalo con tu compañero.

aprender un deporte	aprender otro idioma
un lugar para vivir	un lugar para ir de vacaciones
algo para comer ahora mismo	saber tocar un instrumento
conocer a alguien famoso	encontrar un nuevo trabajo

 ✧ A mí me **gustaría** aprender a jugar al fútbol.

18 A. Observa las fotografías. ¿Qué tiempo crees que hace en cada lugar?

Santa Cruz, Patagonia (Argentina)

Isla Saona (República Dominicana)

B. ¿A cuál de los dos lugares te gustaría ir? ¿Por qué? Coméntalo con tu compañero.

 ✧ Yo **preferiría** ir a Santa Cruz porque me encanta el frío.
★ Yo no soporto estar de vacaciones en un lugar donde hace frío.

19 A. ¿Qué tiempo hace en estas fechas en tu ciudad?

De enero
a marzo: _____

De abril
a junio: _____

De julio
a septiembre: _____

De septiembre
a diciembre: _____

hace sol calor frío viento

hay tormenta niebla humedad

está nublado

llueve nieva

B. ¿Qué prendas de vestir llevas en las fechas del apartado anterior?

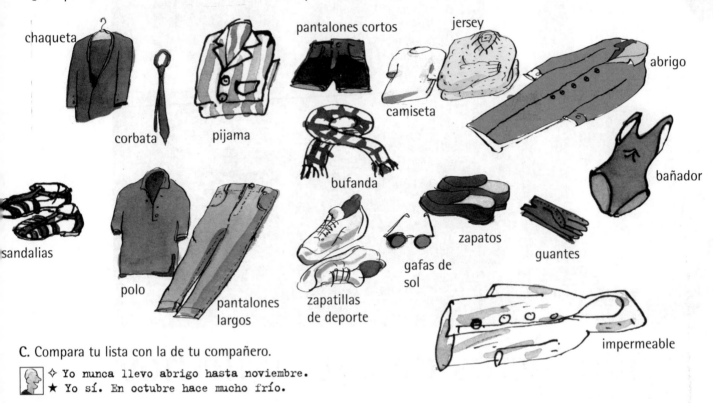

chaqueta

corbata

pijama

pantalones cortos

camiseta

jersey

bufanda

abrigo

bañador

sandalias

polo

pantalones largos

zapatillas de deporte

gafas de sol

zapatos

guantes

impermeable

C. Compara tu lista con la de tu compañero.

✧ Yo nunca llevo abrigo hasta noviembre.
★ Yo sí. En octubre hace mucho frío.

20 **A.** Completa las frases con los verbos **llevar**, **traer**, **ir** o **venir**.

1. Cuando tengo un viaje de trabajo casi siempre _____ en avión.

2. ✧ ¿Quieres alguna cosa de España?
   ★ Bueno. ¿Me puedes _____ una botella de vino?

3. ✧ ¿Qué vas a _____ a la fiesta del sábado?
   ★ Una botella de vino y un pastel.

4. ¿A qué hora _____ a cenar? He preparado una cena que os va a encantar.

5. ✧ ¿Qué te pasa?
   ★ Que _____ del médico y me ha dicho que me tienen que hacer unas pruebas.

6. En esas reuniones nadie _____ traje ni corbata.

7. ✧ ¿A qué hora _____ ? Te estamos esperando.
   ★ Ahora mismo _____ . Salgo en un minuto.

8. ✧ Tengo un regalo para vosotros.
   ★ ¿Qué nos has _____ ?

B. ¿Dónde colocarías los verbos **ir** y **venir**?

aquí	*llevar*	allí
aquí		allí
aquí	*traer*	allí
aquí		allí

3

Productos de ayer y de hoy

Ejercicios

1

A. Estas frases resumen la historia del chocolate. ¿Puedes ordenarlas cronológicamente?

| *1* | En el paraíso de la mitología azteca había un árbol que tenía poderes. |

☐ Los españoles descubrieron el cacao.

☐ En el siglo XVII la gente empezó a consumir chocolate en Europa.

☐ Los aztecas usaban el cacao como bebida y como dinero.

☐ Nació el chocolate con leche y se industrializó su elaboración.

☐ El chocolate con azúcar sólo lo consumía la burguesía y la aristocracia.

B. Lee el texto de la página 33 del *Libro del alumno* para comprobar si has ordenado las frases correctamente.

C. Ahora subraya los verbos en pasado que aparecen en las frases anteriores y sitúalos debajo de la columna que les corresponde.

HABLAR DE ACCIONES HABITUALES / DESCRIBIR (Pretérito Imperfecto)	HABLAR DE ACCIONES PUNTUALES (Pretérito Indefinido)

2

A. ¿Recuerdas cómo se conjugan los verbos regulares en Pretérito Indefinido? Escribe las formas de los verbos.

REGALAR	INVENTAR
regalé	
regalaste	
regaló	
regalamos	
regalasteis	
regalaron	

PERDER	OFRECER
perdí	
perdiste	
perdió	
perdimos	
perdisteis	
perdieron	

RECIBIR	ADQUIRIR
recibí	
recibiste	
recibió	
recibimos	
recibisteis	
recibieron	

B. Observa los verbos anteriores. ¿Recuerdas cuál es la primera persona del plural (nosotros/as) en Presente? Completa el cuadro.

Las formas de primera persona de plural (nosotros/as) de los verbos acabados en _____ y en _____ se conjugan de la misma forma en Pretérito Indefinido que en Presente de Indicativo.

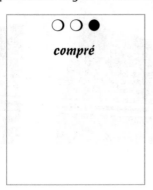

3 **A.** Escucha las siguientes formas verbales y escríbelas en la columna correspondiente según su acentuación.

○ ○ ●

compré

○ ● ○

estuve

B. ¿Sabes cuáles de los verbos anteriores son regulares y cuáles irregulares en Pretérito Indefinido?

C. Ahora completa el cuadro.

PRETÉRITO INDEFINIDO - 1ª y 3ª persona del singular (yo, él, ella o usted)

En los verbos _____ la sílaba fuerte es la última: **compré**...

En cambio, en los verbos _____ la sílaba fuerte es la penúltima: **estuve**...

4 **A.** Fíjate en la forma del Pretérito Indefinido de los verbos **leer** y **pedir**.
¿Qué irregularidad observas?

LEER	PEDIR
leí	pedí
leíste	pediste
leyó	pidió
leímos	pedimos
leísteis	pedisteis
leyeron	pidieron

B. Conjuga ahora estos verbos.

I / Y

construir	oír

E / I

sentir	mentir

5 **A.** Observa este anuncio, realizado en los años 40, de una marca de chocolate argentino. ¿En qué época de la historia de América crees que está ambientado?

HISTORIA DEL CHOCOLATE

Moctezuma II, emperador de México (1502 - 1519 aproximadamente), tomaba siempre "xocolatl" o chocolate después de comer y lo bebía en copas de oro o de nácar. El chocolate era la bebida de los dioses y sólo lo consumían las personas de alta posición social. Era tan importante el valor del cacao que sus semillas se utilizaban como monedas y algunos de los pueblos sometidos al Imperio Azteca pagaban sus tributos al emperador en esa moneda.

Actualmente la industria argentina cuenta con un valor indiscutible: el CHOCOLATE ÁGUILA, poderoso alimento de exquisito sabor.

CHOCOLATE
ÁGUILA
ES UN PRODUCTO SAINT

Etiqueta blanca
tipo extrafino

B. Subraya todos los verbos que aparecen en el texto que se refieran al pasado. ¿En qué tiempo verbal están conjugados? ¿Sabes por qué?

C. Conjuga estos verbos en el mismo tiempo verbal que aparece en el anuncio.

TOMAR   BEBER   CONSUMIR

D. ¿Aparece en el texto algún verbo irregular? Puedes consultar la página 44 del *Libro del alumno*.

6 Observa estas imágenes y escribe frases sobre cómo crees que era la vida de los nativos americanos antes de la llegada de los europeos. Después compara tus frases con las de tus compañeros.

Utilizaban el cacao como moneda de cambio...

7 Lee el texto sobre Seat, una marca de automóviles española, y escribe un resumen para cada década.

SEAT, EL COCHE

Seat, el símbolo de la industria automovilística española, nació el 9 de mayo de 1950. El capital inicial fue de 600 millones de pesetas que desembolsaron el INI (Instituto Nacional de Industria), un grupo de bancos y la marca italiana Fiat. El primer coche salió de la fábrica de Barcelona en noviembre de 1953.

"Montábamos los coches con piezas que traían de fuera. Un día hacíamos dos coches y otros, cuatro", recuerda Antonio Barrios que, en julio de 1954, entró a trabajar en la empresa como mecánico. "Trabajábamos 48 horas a la semana. Yo ganaba entonces 4,70 pesetas a la hora y al poco tiempo me subieron el sueldo a 5,20 pesetas", afirma este antiguo empleado que, con el tiempo, ascendió a director de producción y se jubiló en 1996 después de 42 años en la empresa.

De aquellos tiempos sólo queda el recuerdo. En la década de los 90 la producción de coches aumentó considerablemente; en 1999 Seat fabricó 500 000 coches frente a los 2000 de 1954. La producción actual es de 2240 coches diarios frente a los cuatro que recuerda el antiguo empleado. En aquella época trabajaban 925 personas y hoy SEAT cuenta con 14 500 empleados.

La empresa empezó a tener éxito a partir de 1957 con el lanzamiento del 600. Este coche se convirtió en símbolo del desarrollo en la España de los años sesenta. Gracias al crecimiento de la economía, la demanda empezó a aumentar y la fábrica pasó de producir 400 coches al año a 30 000. El 600 pasó a ser el coche más vendido de la marca Seat. En total se vendieron 800 000 unidades; dejó de fabricarse en 1973.

Al 600 le siguieron otros coches como el 1500, 850, 127 y 124. Éste último salió de la cadena de montaje en mayo de 1968.

A finales de los años 70, debido a los cambios políticos por los que pasaba el país, la empresa empezó a dejar de dar beneficios y Fiat abandonó el capital de Seat. En 1983, Seat empezó a buscar un socio tecnológico y financiero y, finalmente, en 1986, Volkswagen se hizo cargo de Seat.

Hoy, en la época del *airbag*, con nuevos modelos (Ibiza, Córdoba, Arosa...) Seat es una de las mayores empresas de España y genera cada año importantes beneficios.

	marca
Años 50:	La creación de Seat, la creación del primero coche, ~~∞∞∞∞∞∞∞∞∞∞~~
Años 60:	El 600 ganaba más importancia cómo Simbolo, *Seat* acabó de hacer el 124.
Años 70:	Fiat ~~seeeee~~ *abandonó* de la marca de Seat, *seat* acabó de hacer el 600
Años 80:	Volkswagen empezó cargar Seat,
Años 90:	Antonio Barrios & fue la compañía Seat, Seat produció 500,000 coches en 1999
Hoy:	Seat fabrica coches con nombres de ciudades, es una compañía muy importante de la economía de la España.

8 **A.** Observa este despacho de principios del siglo pasado y busca elementos
que no correspondan a esa época.

 En aquella época la gente no....

9 Completa las frases con los verbos y los tiempos adecuados.

(seguir)   (soler)   (dejar)   (empezar)

1. No salgo mucho pero los viernes (yo) .... ir al cine después de cenar.
2. Ayer (yo) .... a hacer una dieta. Espero perder muchos kilos.
3. ✧ ¿(usted) .... trabajando en el mismo lugar?
   ★ Sí, pero ahora soy el responsable del Departamento de Ventas.
4. Cuando era agente comercial, (él) .... pasar por la oficina todas las tardes.
5. Antes me llamaba todos los días pero el año pasado (ella) .... de hacerlo, y no sé por qué.
6. La semana pasada (nosotros) .... a fabricar un nuevo producto que creemos que va a tener mucho éxito.
7. ¿Qué tal con Carmen? ¿(vosotros) .... trabajando juntos?
8. (Yo) .... de fumar hace muchos años y, la verdad, me encuentro mucho mejor desde entonces.
9. Hoy ha llegado tarde pero (él) .... ser muy puntual.
10. Queremos (nosotros) .... de trabajar con esa agencia. No estamos contentos con su trabajo.

10 A. Lee esta carta al director de un periódico. ¿Existe el mismo problema en la ciudad en la que vives?

NO PUEDO DORMIR

Vivo en una calle estrecha que antes era muy tranquila. Cuando llegaba a casa tarde, después de un duro día de trabajo, mi casa me ofrecía descanso, paz. Era un lugar donde podía olvidarme del estrés de la ciudad, donde podía vivir tranquila con mi familia y con mis hijos.

Hace dos meses abrieron un restaurante justo debajo de mi casa y, desde entonces, mi vida ha dejado de ser la misma. Desde que abrieron el restaurante no puedo dormir porque está abierto hasta las tres de la mañana. Pero lo peor no es eso, lo peor es que tengo un niño de menos de dos

años que se despierta por el ruido y se pasa la noche llorando. Estoy desesperada. He llamado muchas veces a la policía pero dicen que el restaurante tiene todos los permisos en regla. ¿Qué puedo hacer?

Cristina Sanz

B. Piensa en la ciudad en la que vives. ¿Ha cambiado mucho en los últimos años? ¿Crees que ha empeorado? ¿Tienes alguna queja sobre alguno de lo siguientes aspectos?

servicios públicos (bibliotecas...)   limpieza   seguridad   iluminación

tráfico   transporte público   vivienda   zonas verdes   ruido ambiental

C. Fíjate en la carta de la página anterior y siguiendo ese modelo escribe una carta de queja a un periódico local.

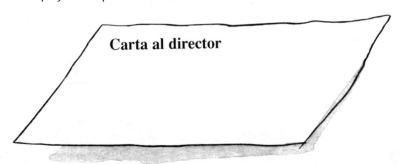

Carta al director

11 ¿Con cuáles de estas frases te identificas? Coméntalo con tu compañero.

Antes trabajaba menos que ahora.
Cuando era pequeño era muy tranquilo/a.
Cuando tenía diez años iba a la escuela en autobús.
Hace dos años no vivía aquí.
En mi casa, cuando era pequeño/a, siempre había mucha gente.
Antes leía el periódico sólo los domingos, ahora lo leo todos los días.
Cuando tenía quince años no salía nunca por la noche.
De pequeño/a no me gustaba comer carne.
Antes me levantaba después de las ocho, ahora me levanto antes.
Antes tomaba café por la mañana, ahora sólo después de comer.

◇ Antes trabajaba menos.
★ A mí me pasa lo mismo. Ahora trabajo más que antes...

12 **A.** Escucha las conversaciones. ¿A qué personajes se refieren en cada una?

B. ¿Cuando traen los regalos estos personajes?

Los Reyes Magos   El ratoncito Pérez   Papá Noel

C. Comenta con tu compañero en qué ocasiones recibías regalos cuando eras pequeño.

 ◇A mí siempre me regalaban cosas cuando...

13 **A.** ¿Cómo crees que eran Silvia y Alberto cuando eran pequeños? ¿Qué hacían? Escríbelo.

Silvia

Alberto

Silvia veía la televisión todos los días...

 B. Escucha y comprueba.

C. ¿Cómo eras tú? Escríbelo en un papel y dáselo a tu profesor.

D. Lee el papel que te ha dado tu profesor y, con tu compañero, intentad adivinar quién lo ha escrito.

14 Completa la historia del bolígrafo Bic con los verbos que faltan en pasado.

En 1946, Marcel Bich, barón de Bich, nacido en Turín (Italia), (comprar) _____ un taller de fabricación de plumas estilográficas en París. En aquella época la gente (escribir) _____ con pluma, (ser) _____ un instrumento incomódo y caro. La punta (romperse) _____ con frecuencia y los papeles (ensuciarse) _____ con facilidad. En 1951, Bich (comprar) _____ una patente, la (perfeccionar) _____ y (crear) _____ su propia marca, para ello le (quitar) _____ la "h" a su apellido: Bic.

Al poco tiempo, el barón (popularizar) _____ el bolígrafo y para lograr sus objetivos, (automatizar) _____ la fabricación con el propósito de producir grandes series y reducir los costes.

A través de la publicidad, el producto (empezar) _____ a conocerse en toda Francia y muy pronto (abrir) _____ mercados en toda Europa y en los territorios franceses de África. En 1958 (iniciar) _____ su aventura al otro lado del Atlántico y (adquirir) _____ una participación mayoritaria de la sociedad americana Waterman, que le (servir) _____ de base para fundar la compañía Bic Corporation.

La masiva implantación del bolígrafo (modificar) _____ radicalmente el sistema de escritura de la época e (influir) _____ en las costumbres sociales. El Bic (convertirse) _____ en el instrumento de escritura más utilizado. Entre sus modelos más emblemáticos hay que destacar el Bic Cristal y el Bic Naranja, que forman parte de la historia de la escritura.

15 A. Lee estas frases. Todas son correctas. ¿A qué situación corresponde cada una?

1. **Ya** he escrito el informe.	A. Antes escribía informes y ahora también.
2. **Todavía no** he escrito el informe.	B. He terminado el informe que estaban esperando.
3. **Ya no** escribo informes.	C. Antes escribía informes en mi trabajo, ahora hago otras cosas.
4. **Todavía** escribo informes.	D. No he terminado el informe pero voy a terminarlo pronto.

B. Ahora reescribe estas frases. Utiliza **ya**, **ya no**, **todavía** o **todavía no**.

1. Estoy preparando la cena. Terminaré dentro de media hora.

_____

2. He vendido todos los productos que tenía que vender este año.

_____

3. Ahora trabajo en una oficina y antes trabajaba en una fábrica.

_____

4. No he cambiado de casa. Vivo en la casa de siempre, en la Avenida de América.

_____

5. Antes enviábamos faxes, ahora sólo correos electrónicos.

_____

6. No hemos cambiado de asesor, seguimos trabajando con el señor Martínez.

_____

16 **A.** Luisa ha decidido llevar una vida sana y para ello ha cambiado sus hábitos. ¿Qué crees que hacía antes y qué crees que ha cambiado en su vida? Coméntalo con tu compañero.

◇ Antes comía carne y ahora ya no.
★ No sé... comer carne no es tan malo... Seguro que no ha dejado de comer carne...

B. Escucha ahora a Luisa. ¿Qué cosas han cambiado en su vida? Escríbelo.

C. Compara tus respuestas con las de tu compañero y vuelve a escuchar para comprobar.

D. ¿Y en tu vida? ¿Han cambiado muchas cosas? Escríbelo.

17 **A.** Lee las siguientes frases. ¿A qué se refieren las palabras subrayadas?

1. Esta mañana todavía no nos <u>lo</u> han entregado.
2. Te <u>las</u> daré mañana.
3. Os <u>la</u> ha regalado mi hermano.
4. Se <u>los</u> envió ayer y hoy <u>los</u> han recibido.

a. las cartas
b. los libros
c. el paquete
d. una mesa

B. Completa la frase.

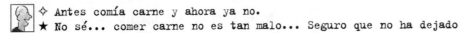

Lo,   , los,   son pronombres de Objeto Directo.

C. Vuelve a analizar las frases. ¿A quién se refieren las palabras subrayadas?

1. Todavía no <u>nos</u> lo han entregado.
2. <u>Te</u> las daré mañana.
3. <u>Os</u> la ha regalado mi hermano.
4. <u>Se</u> los envió ayer y hoy los han recibido.

a. a ti
b. a vosotros
c. a nosotros
d. a ellos

D. Completa el cuadro con los pronombres personales de Objeto Indirecto.

Persona	Pronombre
yo	me
tú	
él, ella, usted	le
nosotros/as	
vosotros/as	
ellos, ellas, ustedes	les

E. Completa el cuadro.

A las personas yo, tú, nosotros/as y vosotros/as les corresponden los pronombres **me, te, nos** y **os** respectivamente: "**Te** los daré mañana". Para las personas él/ella, ellos/ellas y usted/ustedes los pronombres son **le** para el singular (él, ella, usted) y **les** para el plural (ellos, ellas, ustedes). Cuando se combinan los pronombres de Objeto Indirecto **le** o **les** con pronombres de Objeto Directo **lo, la, los, las**, los primeros se transforman de **le** o **les** en _____. Es decir, <u>nunca</u> se dice **le/les lo/los/la/las** sino _____ **lo/los/la/las**.

18 Completa las frases con los pronombres que falten.

1. ✧ ¿Has enviado el pedido a aquel cliente?
   ★ Sí, ____ lo envié ayer.

2. ✧ ¿Os han dado el permiso de exportación?
   ★ Sí, ____ ____ dieron ayer.

3. ✧ Me gusta mucho tu traje.
   ★ Sí, a mí también. ____ lo regalaron para mi cumpleaños.

4. Mañana se van de viaje y todavía no ____ hemos entregado los billetes de avión.

5. Sr. García, la agenda ____ la enviamos ayer.

6. ✧ ¿Cuándo ____ disteis los documentos a Marta?
   ★ ____ ____ dimos la semana pasada.

COMPRUEBA TUS CONOCIMIENTOS

1 Elige la opción más adecuada.

1. _____ muy bien con Marta. Es muy simpática.
- [ ] a. Llevo
- [ ] b. Me llevo
- [ ] c. Me cae
- [ ] d. Caigo

2. ✧ ¿ Qué _____?
★ Nada. _____ un poco cansado.
- [ ] a. te encuentras/Estoy
- [ ] b. te encuentras/Soy
- [ ] c. te pasa/Estoy
- [ ] d. te pasa/Soy

3. Estudio español _____ comunicarme con mis clientes.
- [ ] a. por
- [ ] b. para
- [ ] c. a
- [ ] d. porque

4. Claudio trabaja en el Departamento de Ventas. Toma nota de _____ .
- [ ] a. los proveedores
- [ ] b. los pedidos
- [ ] c. los albaranes
- [ ] d. el transporte

5. Inma es directora del Departamento de Formación. _____ a organizar cursos de formación para el personal de la empresa.
- [ ] a. Se dedica
- [ ] b. Es responsable
- [ ] c. Se encarga
- [ ] d. Lleva

6. El año pasado _____ en una empresa de informática. Ahora está en una de telecomunicaciones.
- [ ] a. estuvo trabajando
- [ ] b. ha trabajado
- [ ] c. está trabajando
- [ ] d. ha estado trabajando

7. Marisa _____ muy amable pero cuando _____ cansada puede ser terrible.
- [ ] a. es/es
- [ ] b. está/está
- [ ] c. es/está
- [ ] d. está/es

8. En España _____ viajan con la familia.
- [ ] a. mucha gente
- [ ] b. la mayoría de la gente
- [ ] c. todo el mundo
- [ ] d. muchos

9. A mí, _____ los libros de viajes.
- [ ] a. me apasiona
- [ ] b. me apasionan
- [ ] c. me apasiono
- [ ] d. apasiono

10. _____ en Brasilia hace cinco años.
- [ ] a. Fue
- [ ] b. Estuvo
- [ ] c. Estaba
- [ ] d. Estaría

11. ✧ ¡Qué bien que has llegado tan pronto!.
★ Es que _____ en taxi.
- [ ] a. he traído
- [ ] b. he llevado
- [ ] c. he venido
- [ ] d. he dejado

12. Yo, en tu lugar, _____ en coche. Está un poco lejos...
- [ ] a. iré
- [ ] b. iría
- [ ] c. irás
- [ ] d. irías

13. Es una región muy húmeda y siempre está _____.
- [ ] a. calor
- [ ] b. nublado
- [ ] c. llueve
- [ ] d. tormenta

14. Para ir a la reunión es mejor vestir de manera formal. ¿Por qué no llevas un _____?
- [ ] a. albornoz
- [ ] b. polo
- [ ] c. traje
- [ ] d. cinturón

15. A Pedro y a Marta no ____ interesan los museos.
- [ ] a. les
- [ ] b. le
- [ ] c. os
- [ ] d. se

16. En aquella época la gente _____ más horas.
- [ ] a. ha trabajado
- [ ] b. trabajaba
- [ ] c. trabajó
- [ ] d. estuvo trabajando

17. Nuestros clientes _____ siendo lo más importante.
- [ ] a. siguen
- [ ] b. empiezan
- [ ] c. dejan
- [ ] d. suelen

18. Lo siento, pero _____ he terminado el informe. Mañana seguro que lo termino.
- [ ] a. ya no
- [ ] b. todavía no
- [ ] c. ya
- [ ] d. todavía

19. A Juan Pedro, el coche _____ regalaron sus padres.
- [ ] a. lo se
- [ ] b. lo
- [ ] c. se lo
- [ ] d. se

20. _____ 30 años sólo producían 100 diarios.
- [ ] a. Hay
- [ ] b. Después
- [ ] c. Hace
- [ ] d. Más tarde

Resultado: _____ de 20

2 Completa el texto con las palabras adecuadas.

ALMACENES LA PERLA

Don Manuel Belver Vara nació el 18 de octubre de 1905 en Samir, un pueblecito de la provincia de Zamora. Cuando tenía 15 años emigró a Buenos Aires. Allí comenzó a trabajar como aprendiz en los Almacenes La Plata, donde su hermano era el encargado de (1) _____ de caballeros.

Cuatro años después se trasladó a Brasil. Durante este periodo estuvo trabajando en una empresa de tejidos donde era (2) _____ de la importación.

En 1935 volvió a España y en Madrid (3) _____ una pequeña tienda de ropa que estaba en la Gran Vía: Almacenes La Perla.

Contaba con sólo cinco dependientes que se dedicaban a (4) _____ a los clientes y tres (5) _____ que trabajaban en el taller de confección.

Después de la Guerra Civil, en 1940, (6) _____ otra tienda en Madrid y, pocos años más tarde, empezó a abrir almacenes en las capitales más importantes del país. A partir de este momento los establecimientos comenzaron a funcionar con (7) _____ departamental: niños, señora, caballero, hogar...

Desde sus comienzos, Almacenes La Perla diseñó un estilo propio de gestión, basado en la dirección de Don Manuel Belver y su grupo de colaboradores. Poco a poco los directivos de (8) _____ se convirtieron en accionistas. El éxito de La Perla consistía en ofrecer a los clientes calidad y moda a buen precio, y todo en un mismo lugar.

En los años sesenta La Perla tenía más de 50 (9) _____ en España. En el año 1974 se creó el Grupo La Perla con la adquisición y creación progresiva de diferentes empresas: Perla Electronics, Viajes La Perla, Seguros La Perla, Perla Constructores, Editorial Belver y Teleperla.

Don Manuel Belver sentía que tenía una deuda con la sociedad y por esa razón, en 1980, un año antes de morir, creó la Fundación Manuel Belver, una fundación cultural privada bajo la protección del Ministerio de Educación. Actualmente, la Fundación y sus accionistas (10) _____ el Grupo La Perla.

1. a. la distribución
   b. la correspondencia
   c. la sección

2. a. operador
   b. responsable
   c. candidato

3. a. encargó
   b. adquirió
   c. convirtió

4. a. atender
   b. probar
   c. formar

5. a. puestos
   b. empleados
   c. contratos

6. a. inauguró
   b. invirtió
   c. presentó

7. a. un requisito
   b. un sector
   c. una estructura

8. a. la cadena
   b. la producción
   c. la expectativa

9. a. lugares
   b. sucursales
   c. novedades

10. a. clausuran
    b. administran
    c. suministran

Resultado: _____ de 10

3 ¿Cómo les gusta viajar a Javier y a Aurora?

	Javier	Aurora
Medio de transporte		
Destino		
Alojamiento		
Acompañantes		
Equipaje		

Resultado: _____ de 10

4 Piensa en la estructura de una empresa. Describe cómo está organizada y qué hacen las personas que trabajan en cinco de sus departamentos.

Resultado: _____ de 10

TOTAL: _____ DE 50

Calidad en el trabajo

Ejercicios

1 A. Escribe las siguientes palabras en su lugar correspondiente.

ojo   cabeza   boca   estómago

brazo   mano   pie   diente

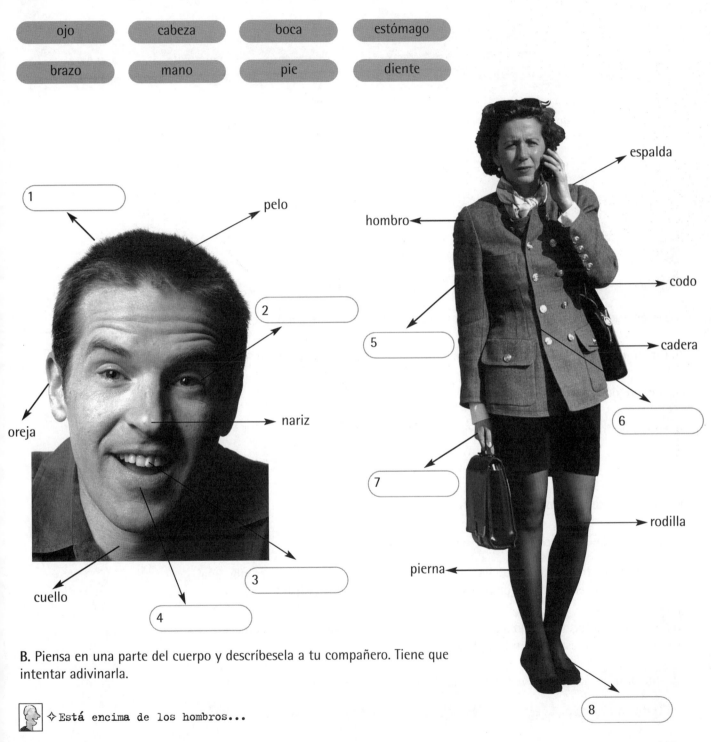

1

pelo

espalda

hombro

2

codo

5

cadera

oreja

nariz

6

3

7

cuello

rodilla

4

pierna

8

B. Piensa en una parte del cuerpo y descríbesela a tu compañero. Tiene que intentar adivinarla.

◇ Está encima de los hombros...

C. ¿Sabes cómo se llaman otras partes del cuerpo? Escríbelas.

2 Coloca estas palabras debajo del verbo que les corresponda. Algunas pueden ir en más de una columna.

el brazo	un dedo	cansado/a	mal	de baja	hambre
fiebre	los pies	fatal	la gripe	enfermo/a	mareado/a
la espalda	resfriado/a	la cabeza	sueño	el estómago	la pierna

me duele/n	estoy	tengo	me encuentro	me he roto

3 A. ¿A qué palabras corresponden las siguientes definiciones?

sueldo   receta   regalo   tuteo   jerarquía   apellido   cumpleaños

1. Orden que existe entre los trabajadores de una empresa que tienen diferentes responsabilidades.

2. Dinero que se recibe regularmente por un trabajo realizado al final de un mes o de una semana.

3. Nombre de familia. Puede ser del padre o de la madre.

4. Forma de tratar a alguien de manera informal.

5. Cosa que alguien da o recibe por algún motivo especial.

6. Día en que se recuerda el nacimiento de alguien.

7. Papel que da el médico y que sirve para adquirir un medicamento.

B. Ahora busca tres palabras que han aparecido hasta ahora en el libro y escribe una definición para cada una. Tu compañero tiene que intentar descubrirlas.

4 ¿Trabajas o has trabajado alguna vez? Comenta con tu compañero cómo son (o eran) estos aspectos en tu trabajo.

los horarios   la manera de vestir   la formación   el sueldo

el trato con tus compañeros   las vacaciones   las comidas   las celebraciones

◇ En mi empresa es muy importante la puntualidad.
★ Yo, ahora mismo no trabajo, pero en la empresa donde trabajé el verano pasado podías llegar a cualquier hora...

5 Escucha y reacciona.

1.		5.	
2.		6.	
3.		7.	
4.		8.	

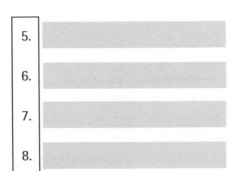

(Pues) en mi
clase
trabajo
empresa
familia
también
tampoco
sí
no

6 En muchas casas españolas son frecuentes las siguientes costumbres relacionadas con las comidas. ¿En tu casa se hace lo mismo? Márcalo y después coméntalo con tu compañero.

1. Se come a las dos del mediodía.

2. Se bebe vino con la comida.

3. Se hace la compra los sábados por la mañana.

4. Se acompaña la comida con pan.

5. Se toma café después de comer.

6. Se cocina con aceite de oliva.

7. Se toma fruta de postre.

8. Se cena a las nueve de la noche.

◇ En mi casa se come a las doce.
★ Ah, pues en la mía se come más tarde...

7 A. Lee el texto. ¿Puedes ponerle un título?

En los *rankings* de "mujeres u hombres mejor vestidos" de las revistas de moda, suelen aparecer estrellas del espectáculo, jugadores de fútbol, diseñadores y hasta políticos. Sin embargo, es muy extraño que los ejecutivos más famosos del mundo se encuentren en esas listas.

Las personas que ocupan cargos importantes en las empresas parecen, hoy en día, muy desorientados y no saben qué ropa usar. ¿Deben vestir de manera informal si sus empresas tienen códigos de vestimenta informal? ¿O esto podría hacerles perder seguridad? ¿Cuál es el límite? ¿Está bien asistir a una reunión vestidos como si fueran al cine? ¿Y si por evitar el exceso de informalidad pecan de demasiado formales? Luís González, ejecutivo de Interdirecto en España, comenta su malestar cuando, obligado por la normativa de su empresa, asiste a reuniones sin corbata. "Al principio me sentía muy incómodo. En España todavía parece que un ejecutivo sin corbata tiene menos poder que uno que la lleva".

Hay mucha confusión sobre los códigos de formalidad en el vestir. Cada vez son más los ejecutivos de primer nivel que, imitando a los políticos, contratan a asesores personales de imagen. Elena Ribera, asesora de imagen, afirma que el modo de vestir de un alto ejecutivo es vital para la compañía. "Si usted representa a una empresa, usted es esa empresa a los ojos de los demás", dice. "Si la imagen de un ejecutivo es positiva, la imagen de toda la empresa es vista de ese modo."

Después de entrevistar a gerentes, analistas financieros, funcionarios gubernamentales y periodistas, un estudio realizado por la consultora Trias S.A. arrojó la conclusión de que la "reputación" general de un alto ejecutivo, que incluye la apariencia, representaba un 45% del buen nombre de una compañía. El mismo estudio revela que el "aspecto visual", es decir, la vestimenta, los accesorios, la conducta y la actitud corporal, supone más de la mitad de toda la comunicación oral. No obstante, muchos altos ejecutivos descuidan peligrosamente esos detalles.

Según los expertos, los ejecutivos -hombres o mujeres- deberían tener en cuenta el poder que encierra su imagen. Si no transmiten una presencia visual cargada de autoridad y credibilidad, tienen que hacer mayores esfuerzos para ganarse el respeto y la confianza de los demás. La ropa, la conducta y la capacidad de comunicación de los directivos son esenciales. Pero a la mayoría de los ejecutivos les cuesta determinar si necesitan vestirse con mayor o menor formalidad.

Los asesores de imagen afirman que la mejor estrategia es elegir siempre la opción más conservadora. Sin embargo, el vertiginoso mundo de los negocios requiere actitudes flexibles con relación a la manera en que visten los empleados de una empresa para conseguir o mantener un perfil competitivo.

B. ¿Cuál de estas tres frases resume mejor el contenido del artículo?

1. Los altos ejecutivos son el grupo profesional que peor viste según los *rankings* de las revistas de moda.
2. Un ejecutivo con un aspecto conservador sigue teniendo más credibilidad y da una imagen más profesional.
3. Un ejecutivo con un aspecto informal inspira más confianza y da una imagen actual y moderna de la empresa que representa.

C. ¿Crees que tiene tanta importancia la manera de vestir en el trabajo? Y a ti, ¿cómo te gusta vestir: de manera formal o informal? Coméntalo con tu compañero.

8 **A.** Escribe las formas de Imperativo que faltan.

	AFIRMATIVO		
	comprar	comer	permitir
tú	*compra*		*permite*
vosotros		*comed*	
usted		*coma*	
ustedes	*compren*		*permitan*

	NEGATIVO		
	comprar	comer	permitir
tú	*no compres*	*no*	*no permitas*
vosotros	*no*	*no comáis*	*no* ....
usted	*no*	*no coma*	*no* ....
ustedes	*no compren*	*no*	*no permitan*

B. Completa la frase.

Las formas de ________ y ________ son iguales en Imperativo afirmativo y en Imperativo negativo: **coma/no coma, coman/no coman.**

9 **A.** Conjuga estos verbos irregulares en primera persona del Presente de Indicativo.

PRESENTE DE INDICATIVO			
empezar	*empiezo*	decir	
volver		poner	
pedir		venir	
jugar		salir	
hacer		tener	

B. A partir de los verbos anteriores, conjuga las formas de Imperativo negativo de **tú** y de Imperativo afirmativo y negativo de **usted**.

IMPERATIVO			
TÚ		USTED	
+	–	+	–
empieza	*no empieces*		
vuelve			
pide			
juega			
haz			
di			
pon			
ven			
sal			
ten			

C. Los verbos **ir** y **ser** son especiales. ¿Puedes conjugarlos?

	TÚ		USTED	
	+	–	+	–
ir	*ve*			*no vaya*
ser		*no seas*	*sea*	

10 Escucha y escribe las formas verbales en la columna que corresponda.

TÚ
no escribas

VOSOTROS
no volváis

11 A. ¿A qué se refieren estas instrucciones?

1. Póntelo para protegerte la cabeza.

2. Desconéctalo antes de entrar al cine.

3. No la dejéis encendida. Especialmente si es viernes.

4. Dádselo mañana. Hoy no es su cumpleaños.

5. Cerradla. Hace mucho frío.

6. Ponéoslos si vais a tocar productos tóxicos.

7. Consultadlo si no entendéis alguna palabra.

8. Dejadlas en su sitio después de usarlas.

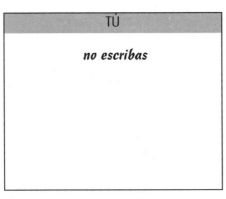

las herramientas

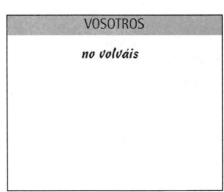

los guantes

el regalo

el casco

la luz

el diccionario

el móvil

la ventana

B. Vuelve a leer las frases anteriores. ¿En qué casos se refieren a la forma **tú** y en cuáles a **vosotros**?

C. Completa la frase.

Cuando usamos pronombres con Imperativo, si es afirmativo se sitúan detrás formando una sola palabra, por ejemplo: [   ] . Si el Imperativo va en la forma negativa, los pronombres se colocan delante y van separados del verbo, por ejemplo: [   ] .

12 ¿En qué lugares crees que se pueden encontrar estas prohibiciones?

1. Prohibido cantar

2. No se permite la entrada a menores de edad

3. Se prohíbe tomar fotografías durante la función

4. Prohibida la entrada

5. Está prohibido dar de comer a los animales

6. No se puede llegar tarde

7. Prohibido jugar a pelota

8. No está permitido comer en este local

9. No se permite usar flash

10. Las visitas están prohibidas después de las ocho

13 **A.** Este texto aparece en la página 51 del *Libro del alumno*. ¿Para qué sirven las expresiones subrayadas en el texto? Coméntalo con tu compañero.

UN BUEN AMBIENTE EN EL TRABAJO

En el mundo empresarial actual, cada vez más competitivo, una plantilla motivada es esencial para obtener buenos resultados.

Muchas son las técnicas que utilizan los directivos para mantener un buen ambiente de trabajo en una empresa: contar con una buena política retributiva, en otras palabras, ofrecer un salario justo; tratar bien al personal y fomentar sus iniciativas son solamente algunos ejemplos de estrategias de motivación. De la misma forma, se considera importante crear en la empresa un sentido de "no culpabilidad", o sea, si hay un problema, se trata de resolverlo pero sin echar la culpa a nadie. Los errores son una lección que hay que tener en cuenta para el futuro.

En las empresas, sin embargo, existen prácticas que desmotivan completamente a los empleados. Hay empresas que no valoran los esfuerzos de sus trabajadores. Implantan una flexibilidad de horarios a medida del jefe, o lo que es lo mismo, piden flexibilidad de horario cuando el trabajo lo requiere y ponen mala cara cuando un empleado la pide por cuestiones personales. Algunas empresas insisten en practicar una política de puertas cerradas, es decir, en mantener las puertas de los despachos cerradas; de ese modo, los cargos directivos mantienen las distancias y, como consecuencia de ello, impiden la comunicación.

Desgraciadamente se podrían citar muchos más ejemplos. En cualquier caso, lo más importante es tener siempre en cuenta que motivar a los empleados y hacerles sentir a gusto en la empresa, se reflejará en una mejor y mayor calidad del trabajo producido.

B. ¿Puedes escribir un texto parecido pero cambiando el título "Un buen ambiente de trabajo" por "Un buen ambiente en la clase de español"?

14 **A.** ¿Puedes poner el nombre debajo de cada uno de estos dibujos?

| termométro | masaje | jarabe | aspirina |
| infusión | venda | pañuelo | análisis de sangre |

1._____ 2._____ 3._____ 4._____

5._____ 6._____ 7._____ 8._____

B. Completa los diálogos con las palabras anteriores.

1.
✧ ¿Qué te pasa?
★ Creo que tengo fiebre.
★ Espera, que voy a buscar el _____.

2.
✧ ¡Qué dolor de cabeza!
★ ¿Por qué no te tomas una _____?

3.
✧ ¿Cómo te encuentras?
★ Mejor, pero todavía me duele la garganta.
✧ ¿Ya te has tomado el _____?

4.
✧ Te veo un poco nervioso. ¿Quieres una _____?
Dormirás mejor.
★ No, gracias. Estoy bien.

5.
✧ Me duele mucho la espalda. Creo que voy a ir al médico.
★ Tú lo que necesitas es un buen _____.

6.
✧ ¿Qué te ha dicho el médico?
★ Bueno, pues dice que no sabe qué tengo y que tienen que hacerme un_____.
O sea que, de momento, no me quiere dar el alta.

7.
✧ ¡Salud!
★ Gracias. Tengo un resfriado...
✧ ¿Quieres un _____?
★ No, gracias.

8.
✧ ¿Qué te ha pasado? ¿Te has roto la mano?
★ No.
✧ ¿No?... Es que como llevas una _____...
★ ¡Ah! No, no es nada. No la tengo rota, no.

15 ¿Qué crees que **pueden** o **deben** hacer Pancho y Lidia para encontrarse mejor?

Puede...

No puede...

Debe...

No debe...

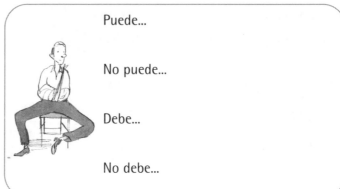

Puede...

No puede...

Debe...

No debe...

16 Responde al cuestionario para saber si eres una persona organizada.

¿ES USTED ORGANIZADO/A?	sí	no		sí	no
1. ¿Suele llegar tarde a sus citas?			9. En general, ¿duerme poco?		
2. ¿Prepara sus viajes en el último momento?			10. En ocasiones, ¿se aburre en su tiempo libre?		
3. ¿Es raro que su mesa de trabajo esté ordenada?			11. ¿Sus obligaciones le dejan poco tiempo para su familia o para sus amistades?		
4. ¿Decide qué ropa va a ponerse después de levantarse?			12. ¿Apunta teléfonos en trozos de papel que luego nunca encuentra?		
5. ¿Come a "salto de mata" lo que puede, o lo que encuentra en la nevera?			13. ¿Se suele poner nervioso/a cuando tiene muchas cosas que hacer?		
6. ¿Acaba con frecuencia un trabajo en el último momento?			14. ¿Se olvida de anotar sus citas en su agenda?		
7. Cuando va a hacer la compra, ¿decide en ese momento qué va a comprar?			15. A veces, ¿gasta más de lo que le permiten sus posibilidades?		
8. Frecuentemente, ¿siente que le falta tiempo para hacer las cosas?					

Soluciones:
- Mayoría de respuestas "sí": Necesita poner orden en su vida, seguro que vivirá más tranquilo y feliz. En primer lugar tiene que relajarse y trabajar menos. Tómese las cosas con más calma pero no se olvide de anotarlo todo en su agenda.
- Mayoría de respuestas "no": Felicidades. Es usted, sin duda, una persona ordenada y seguramente feliz. Si ha obtenido más de 10 respuestas "no", debería improvisar un poco más. A veces, también es bueno sentir un poco de emoción en la vida.

B. A partir de las preguntas anteriores escribe una lista de instrucciones para una persona desordenada. Puedes utilizar la forma **tú** o **usted**.

1. Cómprate una agenda

17 Lee el siguiente prospecto. Probablemente habrá muchas palabras que no entiendes, pero seguro que puedes responder a las siguientes preguntas.

1. ¿Para qué sirve el Paracecatil?

2. ¿Cuándo empieza a hacer efecto el Paracecatil?

3. ¿Cuánto tiempo dura el efecto de un comprimido?

4. ¿Cada cuántas horas se puede tomar un comprimido?

5. ¿Qué dosis puede tomar un niño de 8 años en un día?

6. ¿Qué hay que hacer si se toma demasiado Paracecatil?

7. ¿Cómo hay que tomar el Paracecatil?

8. ¿Qué personas no pueden tomarlo?

PARACECATIL
Paracetamol

COMPOSICIÓN
Por comprimido
Paracetamol......................................650 mg
Excipiente... c.s.
(el excipiente se compone de dióxido de silicio, celulosa en polvo, estearato magnésico, almidón de maíz)

El paracetamol es un analgésico que pertenece al grupo de los no narcóticos y por lo tanto, no produce la dependencia psicogénica y física característica de los analgésicos adictivos.

Paracecatil no erosiona la mucosa del tubo digestivo. Puede prescribirse en los enfermos que padecen úlceras gástricas o duodenales, u otras gastropatías. Carece de efectos antiinflamatorios.

El paracetamol se absorbe rápidamente y empieza a actuar entre los 15 y 30 minutos después de su ingestión. Su acción dura unas tres horas. El máximo nivel plasmático se alcanza entre los 30 y 60 minutos.

Su acción analgésica se ejerce con preferencia sobre los dolores de la musculatura esquelética que producen espasmos o rigidez. Asimismo, actúa en los dolores causados por los espasmos de la musculatura lisa visceral.

Su acción antipirética se desarrolla al actuar sobre los centros termorreguladores del sistema nervioso central en los enfermos con fiebre, en los cuales ocasiona una mayor pérdida de calor corporal mediante vasodilatación cutánea.

Su doble acción analgésica y antipirética le confiere gran eficacia para solventar las molestias que aparecen en los síndromes de resfriado y gripe.

ACCIÓN
Analgésico, antipirético.

INDICACIONES
Dolor de intensidad leve o moderada.
Estados febriles.

POSOLOGÍA
Adultos:
1 comprimido cada 4-6 horas.
No se excederá de 4 g (6 comprimidos) en 24 horas.

Niños de 6 a 10 años:
1/2 comprimido hasta 4 ó 5 veces al día, sin exceder de un total de 5 dosis en 24 horas.

Puede establecerse también un esquema de dosificación de 10 mg/kg por toma.

CONTRAINDICACIONES
Enfermedades hepáticas.

PRECAUCIONES
En pacientes con insuficiencia hepática y/o renal, anemia, afecciones cardíacas o pulmonares, evitar tratamientos prolongados.
No exceder la dosis recomendada.
Se aconseja consultar al médico para usarlo en niños menores de 3 años o en tratamientos prolongados.

INTERACCIONES
En caso de tratamientos con anticoagulantes orales se puede administrar ocasionalmente como analgésico.

INTOXICACIÓN Y SU TRATAMIENTO
La sintomatología por sobredosis incluye mareos, vómitos, pérdida de apetito, ictericia y dolor abdominal. Si se ha ingerido una sobredosis debe acudirse rápidamente a un Centro Médico aunque no haya síntomas, ya que éstos, muy graves, se manifiestan generalmente a partir del tercer día después de su ingestión.

Para una mayor seguridad, en caso de sobredosis o ingestión accidental, consultar al Servicio de Información Toxicológica. Teléfono (91) 562 04 20.

Se considera sobredosis de paracetamol la ingestión de una sola toma de más de 6 g en adultos y de 100 mg por kg de peso en niños. Pacientes en tratamiento con barbitúricos o alcohólicos crónicos, pueden ser más susceptibles a la toxicidad de una sobredosis de paracetamol.

El tratamiento consiste en aspiración y lavado gástrico, carbón activo vía oral, administración intravenosa de N-acetilcisteína a dosis adecuadas y, si es preciso, hemodiálisis.

El periodo en que el tratamiento ofrece la mayor garantía de eficacia se encuentra dentro de las doce horas siguientes a la ingestión de la sobredosis.

MODO DE EMPLEO. Vía oral.
Los comprimidos se ingerirán con agua. Para facilitar su ingestión es conveniente fraccionarlos en dos trozos.

PRESENTACIÓN
PARACECATIL 650 mg: Caja con 20 comprimidos y envase clínico con 500 comprimidos.

Los medicamentos deben manterse fuera del alcance de los niños.

> IMPORTANTE PARA LA MUJER:
>
> Si está usted embarazada, consulte a su médico antes de tomar este medicamento. El consumo de medicamentos durante el embarazo puede ser peligroso para el embrión o el feto y debe ser vigilado por su médico.

LABORATORIOS PARACEX, S.A.,
Avda. Mérida, 4 - 08023 (Barcelona)
Director técnico: José Mª López Serna

 Gelos

Dinero

Ejercicios

1 Relaciona estas descripciones con la palabra adecuada.

a. Deuda que alguien adquiere con un banco por la compra de una casa.

b. Cheque sin nombre que puede cobrar cualquier persona que lo presenta en el banco.

c. Precio al que el banco concede un préstamo.

d. Cheque que puede cobrar sólo la persona o entidad cuyo nombre figura en él.

e. Valoración de una mercancía o de una vivienda.

f. Dinero que cobra el banco por realizar una operación.

g. Pago de gastos a través de un banco o de una caja.

h. Documento que envía el banco al cliente con información sobre su cuenta.

1. Domiciliación **G**

2. Cheque al portador **B**

3. Tasación **E**

4. Extracto **H**

5. Tipo de interés **C**

6. Comisión **F**

7. Cheque nominativo **D**

8. Hipoteca **A**

2 **A.** Varias personas van al banco. ¿Qué quieren hacer? Escribe el número que corresponda.

☐ abrir una cuenta
☐ domiciliar la nómina
☐ ingresar dinero
☐ cobrar un cheque
☐ solicitar una tarjeta de crédito

☐ sacar dinero
☐ cambiar dinero
☐ contratar un plan de pensiones
☐ domiciliar pagos
☐ consultar el saldo

B. Escucha otra vez para comprobar.

C. Y tú, ¿vas mucho al banco? ¿Cuáles son las consultas u operaciones que más realizas? Coméntalo con tu compañero.

 ◇ No voy mucho al banco, y cuando voy, es, sobre todo, para...

3  **A.** Carmen Pozo, directora de una oficina bancaria, explica cómo es su oficina y qué servicios presta. Escucha y, después, completa la ficha.

Horario de atención al público:

Número de empleados:

Número de clientes:

Servicios u operaciones más frecuentes:

B. ¿Crees que la oficina de Carmen Pozo se parece a la oficina bancaria a la que tú vas?

4 **A.** Vas a leer una información sobre el gasto medio anual en los hogares españoles. *annual avg. spending*
Antes, comenta con tu compañero en cuáles de las siguientes cosas creéis que gastan más dinero las familias españolas.

espectáculos y cultura   alimentación   gastos de vivienda (agua, gas...)   muebles y decoración   ropa y calzado

salud   alcohol y tabaco   educación   viajes   transporte   comunicaciones (teléfono, fax...)

◇ Yo creo que las familias españolas gastan mucho dinero en comida...
★ Sí, y también en...

B. Lee ahora el texto. ¿En qué gastan los españoles su dinero? ¿Coincide con lo que habías pensado? Haz una lista de los gastos y ordénalos (de + a -).

Gastos de los hogares españoles según el Instituto Nacional de Estadística (INE)

Los primeros resultados de la reciente encuesta sobre los presupuestos de las familias españolas ponen de manifiesto que gastan principalmente su dinero en vivienda y alimentación. El 26,9% del consumo de los hogares se dedica a gastos de vivienda, agua, electricidad, gas y otros combustibles, y el 19,2% a alimentación y bebidas no alcohólicas.

Le siguen en importancia los gastos en transporte; aquí se incluye la adquisición de turismos, *Coche* un 12,4% del gasto total de los hogares. El cuarto lugar lo ocupa el gasto en hoteles, restaurantes y viajes, un 9,3% del presupuesto anual.

El gasto medio por persona en salud (seguros médicos, medicamentos, etc.) es del 2,4%, cifra inferior a la gastada en bebidas alcohólicas y tabaco. En esta partida, el gasto medio es del 2,7%.

Los españoles dedican una parte importante de su presupuesto a la ropa y al calzado, un 7,3%, del que la mayor parte, un 5,8%, corresponde a la ropa.

El gasto medio por persona en ocio, espectáculos y cultura, alcanza un 6,1% del gasto total. Dentro de este grupo se incluyen los gastos en libros, prensa y papelería, así como los gastos en servicios recreativos, culturales y las compras de equipos audiovisuales e informáticos para el hogar.

En muebles, objetos del hogar y gastos de conservación de la vivienda los españoles gastan un 4,8% del presupuesto total del año.

En educación (colegios y material escolar) el gasto supone un 1,5% del total.

Otros bienes y servicios, entre los que se incluyen las comunicaciones (fax, teléfono, Internet...), suponen un 7,2% del total de gastos.

C. Mira ahora este extracto mensual y decide si el gasto de la familia
Pacheco-Ortiz corresponde con los datos del INE.

BANCOBA

Luisa Ortiz Gómez
Eduardo Pacheco Boix
C/ Lucio del Monte, 14 5° A
46002 VALENCIA

EXTRACTO MENSUAL

(JULIO DE 2001)

Estimada Sra. Ortiz:

A continuación le indicamos los saldos de sus posiciones a 31 de Marzo de 2001, así
como los movimientos efectuados en su cuenta durante ese mes. Si desea más información, puede llamarnos por teléfono al 901 31 00 31.

DEPÓSITOS A LA VISTA	Moneda	Saldo inicial	Saldo final
CUENTA CORRIENTE ORO NÓMINA Nº: 0218.0050.30.0234468901	EUR	5,478,50	7,210,01

DEPÓSITOS A LA VISTA

Movimientos de su Cuenta Corriente N: 0218.0050.30.0234468901 en EUR

FECHA	REF	FECHA VALOR	CONCEPTO	CARGOS	ABONOS	SALDOS
						5.478,50
02/03/01	694	02/03/01	Gimnasio Sansón S.L.	30,00		5.448,50
02/03/01	592	02/03/01	Supermercado Marcos	138,81		5.309,69
02/03/01	321	02/03/01	MercaSuper	154,50		5.155,19
04/03/01	229	01/02/01	Seguros Vidamás	60,00		5.095,19
05/03/01	366	05/03/01	Recibo gas	54,00		5.041,19
05/03/01	232	05/03/01	Farmacia A. Rebollo	15,00		5.026,19
05/03/01	204	05/03/01	Prest. Hipotecario	628,48		4.397,71
07/03/01	142	07/03/01	Modas Lyon	180,01		4.217,70
08/03/01	327	06/03/01	Médicos sin fronteras	6,00		4,211,70
09/03/01	179	09/03/01	Recibo Electricidad	47,83		4,163,87
12/03/01	567	10/03/01	Librería Guzmán	51,00		4.112,87
12/03/01	453	10/03/01	Telefonía Ibérica	99,00		4.013,87
14/03/01	470	14/03/01	Aguas del Turia	44,19		3.969,68
15/03/01	301	16/03/01	Todo Camisas	89,13		3,880,55
15/03/01	298	13/03/01	Teatro Central S.L	33,00		3,847,55
18/03/01	564	15/03/01	Viajes Solimar, S.L	558,02		3,289,53
20/03/01	231	15/03/01	Recibo Idiomas Inter	69,00		3,220,53
22/03/01	241	17/03/01	Parking Lucio	22,77		3,197,76
26/03/01	804	24/03/01	Peluquería Galix	36,00		3,161,76
29/03/01	101	30/03/01	TRANS. Jiménez S.A.		2,342,36	5,504.12
30/03/01	102	01/04/01	TRANS. AP Asociados		1,705,89	7,210,01
			SALDO FINAL EN EUR			7,210,01

5 **A.** Completa el cuadro con las formas que faltan.

INGRESAR		CONCEDER		DECIDIR	
INDICATIVO	SUBJUNTIVO	INDICATIVO	SUBJUNTIVO	INDICATIVO	SUBJUNTIVO
ingreso	ingrese	concedo		decido	
ingresas		concedes	concedas	decides	
ingresa		concede		decide	decida
ingresamos	ingresemos	concedemos		decidimos	decidamos
ingresáis		concedéis		decidís	
ingresan	ingresen	conceden	concedan	deciden	

APROBAR		DISPONER		COMPETIR	
INDICATIVO	SUBJUNTIVO	INDICATIVO	SUBJUNTIVO	INDICATIVO	SUBJUNTIVO
apruebo		dispongo		compito	compita
apruebas	apruebes	dispones		compites	
aprueba		dispone	disponga	compite	
aprobamos		disponemos		competimos	compitamos
aprobáis	aprobéis	disponéis		competís	
aprueban		disponen	dispongan	compiten	

B. Las formas del Presente de Indicativo y del Presente de Subjuntivo de muchos verbos son muy similares. Completa la regla.

En Presente de Subjuntivo, todos los verbos terminados en –AR toman las terminaciones: -e, -es, _____, _____, _____, -en. Por ejemplo, del verbo **solicitar**, el Presente de Subjuntivo es: **solicite,** _____ **, solicite, solicitemos,** _____ **,** _____ **.**

Todos los verbos terminados en –ER y en –IR toman las terminaciones: –a, _____, -a, _____, -áis, _____. Por ejemplo, el Presente de Subjuntivo del verbo **comer** es: **coma,** _____ **, coma,** _____ **, comáis,** _____ **.**

Los verbos que tienen las irregularidades del tipo **e - ie**, **o - ue** y **u - ue** en Presente de Indicativo (**quiero, encuentro, juego**) mantienen la misma irregularidad en Presente de Subjuntivo (**quiera, encuentre, juegue**) excepto en las formas nosotros y vosotros (**queramos, queráis...**).

Los verbos que cambian la **e** por la **i**, como por ejemplo el verbo **pedir** o el verbo **servir** mantienen la irregularidad en todas las personas: **pida, pidas, pida,** _____ **, pidáis, pidan.**

Los verbos que son irregulares en la primera persona del Presente de Indicativo mantienen la misma irregularidad en todas las personas del Presente de Subjuntivo, por ejemplo el verbo **hacer (hago, haces)** en Presente de Subjuntivo es **haga, hagas,** _____ **,** _____ **,** _____ **,** _____ **.**

6 **A.** Completa el crucigrama con las formas de los verbos en Presente de Subjuntivo. ¿Cuál es el verbo escondido?

1. traducir (yo)
2. saber (ella)
3. proporcionar (vosotros)
4. mirar (usted)
5. decir (tú)
6. conocer (él)
7. atender (ustedes)
8. mantener (yo)
9. poner (nosotras)
10. ir (vosotros)

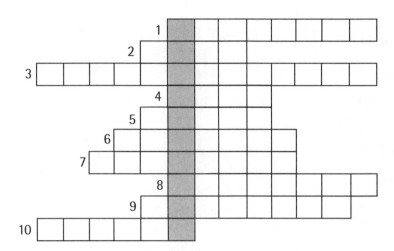

B. ¿Puedes escribir una frase con el verbo escondido en el apartado anterior?

C. Prepara un crucigrama parecido para practicar el Presente de Subjuntivo. Entrégaselo a un compañero para que lo intente completar. Después, podéis corregirlo juntos.

7 **A.** Lee las siguientes frases. Hay una que no es correcta. ¿Cuál?

1. Cuando voy al banco, siempre me atienden muy bien.
2. Cuando he tenido problemas, siempre me los han solucionado con mucha rapidez.
3. Cuando era pequeña, no había servicios de banca telefónica.
4. El mes pasado, cuando recibí el extracto de la tarjeta de credito, decidí recortar mis gastos.
5. ¿Cuándo podré cobrar el cheque?
6. ¿Cuándo vas a llamar al banco para darles nuestra nueva dirección?
7. ¿Cuándo empiezas el curso?
8. Cuando necesitará dinero, nosotros se lo proporcionaremos.
9. Cuando tengan el informe del tasador, avísenme, por favor.

B. Ahora completa la regla para saber qué tiempos verbales pueden combinarse con el adverbio **cuando** y cuáles no.

Para hablar de acciones habituales, utilizamos **cuando** + [_____] de Indicativo.

Si hablamos del pasado, podemos utilizar el adverbio **cuando** + Pretérito Perfecto, + Pretérito [_____] o + Pretérito [_____].

Para preguntar sobre el futuro podemos utilizar **cuando** + Futuro, **cuando** + [_____] + Infinitivo o **cuando** + [_____]. En las respuestas, utilizamos **cuando** + [_____] de Subjuntivo y nunca puede utilizarse **cuando** + Futuro.

8 **A.** Has recibido esta publicidad de Banconet. ¿Cuál es la propuesta del banco?

Queremos hacerle partícipe del éxito de Banconet, regalándole una acción.

Sólo hasta el 13 de mayo o para el primer millón de clientes

Cuando usted se conecte con Banconet, podrá hacer lo mismo que en su oficina y mucho más: si lo desea, podrá consultar sus cuentas y hacer transferencias. Podrá contratar más de 30 servicios diferentes, acceder a 24 Bolsas del mundo, domiciliar sus pagos o pedir una hipoteca, con una diferencia importante: cualquier día y a cualquier hora, desde su ordenador y de la forma más sencilla.

Para poder acceder a sus cuentas por Internet, sólo tendrá que solicitar sus claves en Banca Telefónica, o acercarse a su Oficina o Agente Banconet. Se las daremos al instante. Cuando conozca sus claves, podrá ir a www.banconet.es y empezar a operar con sus cuentas.

Para poder regalarle su acción de Banconet, sólo tiene que acceder por Internet a sus cuentas. En el momento que lo haga, le enviaremos el certificado de su Acción Banconet. Transcurridos cuatro meses, si ha entrado al menos una vez al mes a consultar sus cuentas, será el titular de una acción.

Para su información, el valor de una acción es 65 euros.

Si necesita más información no dude en ponerse en contacto con nosotros en www.banconet.es o a través de Banca Telefónica, su Oficina o Agente.

AHORA, POR CONSULTAR SUS CUENTAS A TRAVÉS DE INTERNET UNA VEZ AL MES DURANTE CUATRO MESES, LE REGALAREMOS UNA ACCIÓN DE BANCONET.

Banconet

B. ¿Qué pasos tiene que seguir un cliente para que el banco le regale una acción?

 ◇ Primero tiene que...

C. ¿Qué te parece la propuesta? ¿Crees que es una buena manera de invitar a utilizar la banca electrónica? Coméntalo con tu compañero.

 ◇ La idea no está mal...

9 **A.** Quieres recibir en casa TARJEBANK, la tarjeta de crédito que te presentamos en la página 60 del *Libro del alumno*. Para ello, rellena esta solicitud.

Rellene esta solicitud con LETRAS MAYÚSCULAS

DATOS PERSONALES

Nombre   Apellidos

Dirección   Código Postal

Localidad   Provincia   Teléfono   Móvil

Nacionalidad   Fecha de nacimiento   Estado civil

Sexo   Vivienda   Vive con su familia ☐   otros ☐

Mujer ☐   Hombre ☐   Propietario/a con hipoteca ☐   Propietario/a sin hipoteca ☐   Alquilado ☐

DNI/NIF ☐   Pasaporte ☐   Tarjeta de residencia ☐   Nº

DATOS PROFESIONALES

Nombre de la empresa   Sector de actividad   Teléfono de la empresa

Dirección   Código Postal   Localidad   Provincia

Tipo de contrato

Autónomo ☐   Contrato Indefinido ☐   Temporal / Otros ☐

B. Pregúntale a tu compañero en qué situaciones utiliza la tarjeta de crédito.

	sí	no
• alquilar un coche		
• tomar un café en un bar		
• pagar un taxi		
• pagar la habitación de un hotel		
• pagar las facturas de los restaurantes		
• comprar el periódico		
• sacar dinero de un cajero		
• comprar regalos en un mercado al aire libre		
• llamar por teléfono		
• pagar un billete de metro o de autobús		
• ir al cine o al teatro		

◇ ¿Utilizas la tarjeta cuando alquilas un coche?
★ Bueno, es que no conduzco... ¿Y tú?
◇ Sí, yo sí, pero nunca alquilo coches...

10 Relaciona los principios de las frases con sus finales correspondientes.

1. Nos compraremos la casa,
2. Cuando firmes el contrato,
3. Tráeme un té, por favor,
4. Cuando vayas al supermercado,
5. Cuando ahorre un poco de dinero
6. Sólo pediré un crédito
7. Cuando llames a la agencia de viajes
8. Cuando tengamos la tasación del piso

a. pregúntales si hay plazas en el vuelo de las 8 de la mañana.
b. me compraré un ordenador nuevo.
c. cuando vendamos el apartamento.
d. cuando realmente lo necesite.
e. sabremos si el banco nos va a conceder el crédito.
f. no te olvides de leer la letra pequeña.
g. pide el tique de compra.
h. cuando vayas a la cafetería.

11 **A.** Todo el mundo tiene planes y proyectos para el futuro que no sabe cuándo podrá realizar. De la siguiente lista, ¿qué no has hecho todavía y qué te gustaría hacer?

- tomarme un año sabático
- aprender a pintar
- comprar una casa
- conducir un coche
- ser propietario de un apartamento en un lugar de vacaciones
- estudiar teatro
- aprender a tocar un instrumento
- tener un hijo
- vivir en casa con una mascota (un perro, un gato...)
- casarse
- aprender a bailar salsa
- hablar en público
- pasar unas vacaciones en una isla del Caribe
- crear una empresa
- ir en moto
- publicar un artículo o un libro

B. ¿Crees que harás alguna de esas cosas en el futuro? ¿Cuándo? Coméntalo con tu compañero.

 ✧ Yo creo que me **tomaré** un **año** sabático cuando termine el proyecto...

12 **A.** Normalmente a finales de diciembre la gente gasta mucho dinero. Lee el texto y comenta con tu compañero qué significa la expresión "la cuesta de enero".

 ◇ Yo no tengo ni idea de lo que es "la cuesta de enero".

B. Lee ahora las recomendaciones que hace una organización de consumidores en una revista. ¿Cuáles consideras más útiles? ¿Sigues normalmente alguna?

LA CUESTA DE ENERO

• Terminadas las fiestas de Navidad y Reyes empieza la tan temida "cuesta de enero". Durante las fiestas navideñas, la época del año en que el gasto medio por familia se dispara, el dinero sale con facilidad de los bolsillos de los consumidores, que muchas veces no son conscientes de la cantidad de dinero que gastan en sus compras. Los efectos de alegría de las burbujas del cava terminan bruscamente cuando, en enero, se comprueba el saldo de la cuenta corriente y el importe de los recibos de las tarjetas de crédito. Ha llegado, para muchos, la cuesta de enero, el momento de apretarse el cinturón y de no seguir gastando a lo loco. Aquí le ofrecemos algunas recomendaciones para controlar las entradas y salidas de dinero de su cuenta corriente:

• es muy útil guardar todos los recibos de los cajeros automáticos para hacer las comprobaciones necesarias cuando llegue el extracto mensual de la cuenta,
• es esencial controlar el uso de la tarjeta de crédito y guardar todos los resguardos de los pagos,
• es necesario llevar un control de los cheques que se entregan,
• es fundamental fijar por escrito un presupuesto mensual de gastos y cumplirlo desde el primer día,
• es muy importante evaluar el gasto semanalmente, es decir, comprobar si se cumple o no el presupuesto,
• es bueno considerar los gastos que no son imprescindibles y que se pueden eliminar,
• es básico controlar los "caprichos", sobre todo, en materia de comida. Es aconsejable hacer una lista de la compra antes de ir al supermercado.

13 Lee las frases y marca aquéllas con las que te identifiques. Después coméntalo con tus compañeros.

☐ 1. Siempre leo un rato antes de dormir.
☐ 2. Nunca me acuesto inmediatamente después de cenar.
☐ 3. Nunca leo con atención la cuenta del restaurante antes de pagar.
☐ 4. Normalmente tomo un café después de comer.
☐ 5. Siempre llamo para reservar una mesa antes de ir a cenar a un restaurante.
☐ 6. Normalmente echo un vistazo al periódico antes de empezar a trabajar.
☐ 7. Antes de ir a visitar a un amigo o a un conocido, siempre llamo por teléfono.
☐ 8. Después de terminar de trabajar/estudiar, siempre ordeno mi mesa de trabajo.

*antes de
después de
+ Infinitivo*

◇ Yo siempre leo un rato antes de dormir, ¿y tú?
★ A mí no me gusta leer en la cama...

14 Las siguientes frases ya han aparecido en las cinco primeras unidades del libro.
Pon a prueba tu memoria y escribe las preposiciones **por** o **para**.

1. Estudio español _____, en el futuro, tener un buen trabajo.

2. El banco paga _____ usted la luz, el teléfono...

3. _____ trabajar en el Dpto. de Ventas hay que ser una persona activa.

4. Lo que más me divierte es pasear_____las calles y ver cómo vive la gente.

5. Es algo que se bebe y se toma _____ el dolor de garganta.

6. _____mí, una buena formación es indispensable.

7. Mercedes, si es necesario, se toma una pastilla_____ dormir.

8. Ha viajado mucho _____ África.

9. Todo eso le ofrecen los bancos _____ abrir una cuenta.

10. Creo que soy un buen candidato_____ el Dpto. de Investigación.

11. ¿Qué tal _____ la oficina? ¿Todavía trabajas como contable?

12. Los albaranes tienen que estar firmados _____ los clientes.

13. El año que viene voy a intentar ir al gimnasio una vez _____ semana.

14. Nos dirigimos a usted _____ invitarle a que pase a visitarnos.

15 A continuación tienes palabras y grupos de palabras que sólo pueden ir con
por o con **para**. Algunas también han aparecido ya en el libro. Decide con qué
preposición va cada una de ellas.

favor	la mañana	ejemplo	suerte	correo	esta
tarde	cierto	motivos personales	teléfono	mañana	lo visto
fax	aquel entonces	obligación	correo electrónico	placer	

POR	PARA

16 Vas a escuchar 10 sonidos. ¿Qué frase describe cada uno? Escribe los números.

	Acaba de firmar un contrato	Está intentando abrir la puerta
	Va a ducharse	Acaba de despertarse
	Acaba de llegar al aeropuerto	Acaba de encender la radio
	Está intentando hablar por teléfono con alguien	Va a bajar del autobús
	Acaba de empezar a llover	Está intentando arrancar el coche

17 Mira los dibujos. ¿Qué acaban de hacer estas personas?

1. *Acaba de sacar dinero del cajero.* 2._____ 3._____

4._____ 5._____ 6._____

18 A. Vas a escuchar tres descripciones sobre cosas relacionadas con el mundo de la banca. ¿A qué se refieren?

1	
2	
3	

B. Vuelve a escuchar para comprobar si tus respuestas son correctas.

19 Elige tres palabras o expresiones que han aparecido en la unidad y que estén relacionadas con el mundo de los bancos. Descríbeselas a tu compañero, tiene que intentar adivinarlas.

◇ Es el dinero que cobra el banco cuando hace una operación para un cliente.
  Por ejemplo, cuando cambias dinero...
★ ¿La comisión?

Salones y ferias

Ejercicios

1 Compara el dibujo con el que aparece en la página 73 del *Libro del alumno*.
¿Falta algo?

✧ Faltan dos ordenadores.

2 **A.** La editorial Letras va a participar en una feria internacional del libro.
Escucha la conversación y completa la ficha.

FERIA DEL LIBRO	
Nº de participantes inscritos	
Nº de presentaciones	
Nº de participantes por presentación	

B. Escucha otra vez. ¿Qué material van a llevar a la feria?

MATERIAL	
Nº de catálogos	
Nº de bolígrafos	
Nº de ejemplares de muestra	

C. Ahora, y en función del número de participantes, ¿qué material crees que
falta o sobra?

3 **A.** Aquí tienes los folletos informativos de cuatro ferias. ¿A cuál irías? ¿Por qué? Coméntalo con tu compañero y convéncelo para que te acompañe.

(Fitur)

FITUR es la mejor herramienta puesta al servicio del sector turístico además de una buena oportunidad para los negocios. Más de 7000 empresas expositoras; más de 77000 profesionales prodecentes de 170 países permiten destacar el indiscutible valor de FITUR como puerta de entrada al mercado latinoamericano y del Mediterráneo. FITUR está dedicada a profesionales de todos los sectores relacionados con el turismo pero también se abre al público general los dos últimos días. En el certamen participan mayoristas/turoperadores, compañías de transporte, empresas de hostelería, organismos oficiales y asociaciones, y cuenta con una amplia presencia de medios de comunicación y una variada oferta de reuniones y congresos paralelos.

Del 31 de enero al 4 de febrero
(Madrid, España)

FERIA INTERNACIONAL DE TURISMO

FIL

Feria Internacional del Libro

La Universidad de Guadalajara organiza esta feria, una de las más dinámicas e importantes del sector del libro en español con la exposición de más de 7500 títulos, la presencia de más de 900 editoriales y la asistencia de alrededor de 9000 profesionales. En FIL se dedican tres días exclusivamente a los profesionales del libro (libreros, editores, distribuidores bibliotecarios, escritores, editores independientes, agentes literarios y traductores). El resto de los días se abre al público en general ya que FIL fue concebida desde sus inicios como un proyecto editorial y comercial con una clara intención de divulgación cultural. De este modo, se celebran numerosas mesas redondas y conferencias abiertas a todo el público en general.

(Guadalajara, México)

Del 25 de noviembre al 3 de Diciembre.

Del 27 de febrero al 2 de marzo

Desde 1970 se dan cita en PROMA las más importantes firmas del sector medioambiental de toda Europa así como de países de Asia y América. En la pasada edición, PROMA contó con la presencia de más de 425 firmas expositoras, y con la asistencia de 9000 visitantes. Respecto a los sectores presentes, cabe destacar los relacionados con el tratamiento de aguas y de residuos sólidos, y los relativos a la ingeniería del medio ambiente y a la contaminación del aire. El programa de actos paralelos ofrece importantes conferencias y la celebración anual del FORO INTERNACIONAL DEL MEDIO AMBIENTE, que en la presente edición dedicará una jornada a Latinoamérica y a su problemática medioambiental.

(Bilbao, España)

PROMA

FERIA INTERNACIONAL DE MEDIO AMBIENTE

ARTE BA

FERIA INTERNACIONAL DE GALERÍAS DE ARTE

Desde 1991, la Fundación ARTE BA realiza anualmente la Feria de Galerías de Arte de la ciudad de Buenos Aires. ARTE BA se ha consolidado como uno de los eventos artísticos más destacados y concurridos del país. El objetivo primordial de la Feria es apoyar y difundir el arte argentino, creando un ámbito propicio para la promoción de las distintas expresiones plásticas, tanto de los maestros consagrados como de artistas emergentes, a fin de dinamizar el mercado de arte local. Cada año ARTE BA reúne a las más prestigiosas galerías de arte nacionales e internacionales, así como a las publicaciones especializadas en arte y a las más variadas instituciones comprometidas con el medio artístico.

(Buenos Aires, Argentina)
Del 12 al 18 de mayo

B. Ahora, explicad al resto de la clase vuestra elección.

4 A. Observa estos pares de frases. ¿En qué tiempo del pasado están los verbos?

1 Ayer Tomás y Juan salieron del despacho a las 18.30h.
Yo llamé por teléfono a las 18.45h.

2 Las entradas para el concierto de la Filarmónica se agotaron el lunes.
Nosotros fuimos a comprar las entradas el jueves.

3 El presidente pronunció el discurso inaugural a las 11.00h.
Nosotros llegamos a la feria a las 11.30h.

4 Hicimos la presentación el martes.
Las diapositivas llegaron el miércoles.

B. Observa cómo se unen las frases anteriores. ¿Qué tiempo del pasado se utiliza para presentar la acción que primero se realizó?

1. Ayer, cuando llamé por teléfono, Tomás y Juan ya habían salido del despacho.

2. Cuando fuimos a comprar las entradas, ya se habían agotado.

3. Cuando llegamos a la feria, el presidente ya había pronunciado el discurso inaugural.

4. Las diapositivas llegaron cuando ya habíamos hecho la presentación.

C. Ahora, marca la opción correcta en la explicación gramatical.

Cuando relatamos acontecimientos pasados, a veces nos referimos a acciones o situaciones anteriores a otra acción pasada. En esos casos se utiliza:

☐ el Pretérito Imperfecto   ☐ el Pretérito Perfecto
☐ el Pretérito Pluscuamperfecto   ☐ el Pretérito Indefinido

5 A. De los siguientes pares de acontecimientos históricos, sociales y culturales, ¿cuáles ocurrieron antes? Coméntalo con tu compañero.

Alexander Graham Bell inventó el teléfono.
Albert Einstein publicó la Teoría de la Relatividad.

Cristobal Colón descubrió América.
Gutenberg inventó la imprenta.

Cuba y Puerto Rico dejaron de ser colonias españolas.
Empezó la Primera Guerra Mundial.

Mijail Gorvachov llegó al poder en la antigua Unión Soviética.
Cayó el muro de Berlín.

Napoleón conquistó Europa.
Triunfó la Revolución Francesa.

◇ Cuando Colón llegó a América, Gutenberg ya había inventado la imprenta, ¿no?
★ No sé... creo que sí.

B. Vas a escuchar un concurso de televisión. Toma nota de cuándo ocurrieron los acontecimientos del apartado A.

C. Ahora escribe frases uniendo los acontecimientos que figuran juntos.

Cuando Colón descubrió América en 1492, Gutenberg ya había descubierto la imprenta.

6 **A.** Cuando hablamos del pasado, podemos relatar desde diferentes puntos de vista. ¿Puedes reconocer los tiempos verbales en cada caso?

> **A.** Presentar varios acontecimientos sucesivos: Ayer no sonó el despertador; me dormí y llegué tarde al trabajo.
> **B.** Presentar una circunstancia (una situación) que explica un acontecimiento: El lunes no fui a trabajar porque no me encontraba bien.
> **C.** Describir las circunstancias (situaciones) en que sucede un acontecimiento (un hecho): Eran las nueve de la mañana; estaba lloviendo y había huelga de metros y autobuses; por eso no pude encontrar un taxi libre.
> **D.** Presentar circunstancias o hechos anteriores a otro acontecimiento pasado: Cuando llegué al aeropuerto el avión ya había despegado.
> **E.** Describir acciones habituales en el pasado: Cuando vivía en Madrid, iba a trabajar en metro todos los días.

B. Ahora lee estas frases. ¿A cuál de los casos anteriores corresponde cada una?

1. El lunes pasado terminaron las obras que habían empezado dos años atrás.

2. No pude terminar el informe porque me faltaban algunos datos.

3. A las diez se fue la luz y volvió a las dos. Estuvimos sin poder trabajar toda la mañana.

4. Hace 20 años, en las empresas, se utilizaban máquinas de escribir.

5. Estaba en casa, trabajando, cuando me enteré de la noticia.

6. No pudimos comer en La Bodega porque no habíamos reservado mesa.

7. Fuimos a la feria porque nos interesaba conocer la oferta internacional.

8. Antes, las ferias y congresos se celebraban cerca del aeropuerto.

7 **A.** Aquí tienes una versión diferente del correo electrónico que aparece en la página 78 del *Libro del alumno*. Léela y compara las dos. Haz una lista con las palabras que faltan.

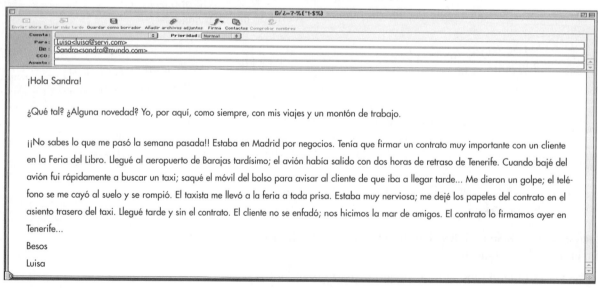

B. ¿Cuál de las dos versiones te parece mejor? ¿Por qué? Coméntalo con tu compañero.

8 **A.** Ordena los dibujos.

A

B

C

D

E

B. Escucha y comprueba.

C. Aquí tienes algunas de las frases de la historia. Ordénalas.

☐ - Se le rompió el tacón de uno de los zapatos cuando iba a embarcar.

☐ - Iba a Amsterdam para asistir a una reunión del grupo directivo.

☐ - El avión salía prontísimo y las tiendas del aeropuerto estaban cerradas.

☐ - Fue a tomar un café.

☐ - No podía ponerse otros zapatos porque los llevaba en la maleta que había facturado.

☐ - Cuando llegó a Amsterdam todo el mundo la miraba.

D. Escucha otra vez y compueba.

9 A. Vas a escuchar cuatro diálogos. ¿Qué aspectos relacionados con las ferias se mencionan en cada uno? Escribe el número que corresponda.

- la cafetería
- la organización
- los accesos
- las conferencias

B. Aquí tienes los textos de los diálogos. Escucha otra vez la grabación y completa los espacios con las palabras que faltan.

1
✧ ¿ _____ la organización este año? El año pasado _____; no había carteles, nadie sabía nada...

★ Pues este año la organización no _____ . Ha sido correcta, normal... No ha habido ningún problema...

2
✧ Llevamos más de media hora esperando... _____: sólo tres camareros. El problema es que sólo hay una cafetería en todo el pabellón...

★ Esto _____. Es mejor que vayamos al pabellón tres... Allí hay una cafetería y dos restaurantes, creo.

3
★ ¿Saliste muy tarde ayer de la feria?

✧ Bueno, sí. Las conferencias acabaron muy tarde.

★ ¿Fuiste a las dos conferencias?

✧ Sí.

★ ¿Y_____?

✧ _____ , sobre todo _____ la primera conferenciante, era una especialista en el tema.

4
★ ¿_____ va todo?

✧ Pues, el stand está muy bien situado y todo el material ha llegado bien... Pero están haciendo obras y los accesos principales están cortados, así que a la gente le resulta muy difícil llegar, y llegan enfadados porque además hay pocos autobuses... _____, la verdad...

★ O sea, que no hay mucho público profesional, ¿no?

✧ El primer día, ayer, _____... Hay cierta preocupación...

C. Escucha otra vez para comprobar.

10 A. Ordena los siguientes diálogos.

☐ Sí, dígame...

☐ No pasa nada; de todas formas, muchas gracias.

1 ☐ Teresa, soy Clara... Felicidades...

☐ ¡Qué despiste! Yo pensaba que hoy era día cinco, lo

siento...

☐ Gracias, pero mi cumpleaños es mañana...

☐ Buenos días, voy al centro.

☐ ¿Veinte kilómetros? Yo pensaba que

2 estaba más cerca.

☐ Muy bien...

☐ Unos 20 kilómetros...

☐ ¿Está muy lejos del aeropuerto?

☐ Perdón... ¿Para pagar estas novelas?

☐ No, con tarjeta...

3 ☐ Sí, acompáñeme... ¿En efectivo?

☐ Disculpe, pero creía que llevaba la tarjeta y

resulta que no la tengo... No puedo llevármelas...

☐ Son 32 euros...

B. Compara con tu compañero.

11 Lee estas frases. ¿Lo sabías? Coméntalo con tu compañero.

1. El lago Titicaca, situado a 4000 metros sobre el nivel del mar, es el más alto del mundo y se extiende sobre la frontera entre Perú y Bolivia.

2. Brasil es el quinto país más grande del mundo.

3. Chile es el mayor productor mundial de cobre.

4. Paramaribo es la capital de Surinam, uno de los países situados en la costa atlántica de Sudamérica entre Brasil y Venezuela.

5. Colombia es uno de los principales productores mundiales de café.

6. Las islas Galápagos pertenecen a Ecuador y la isla de Pascua, a Chile.

7. La Paz es la capital de Bolivia y está situada a 3000 metros sobre el nivel del mar.

8. El escritor colombiano Gabriel García Márquez, autor de *Cien años de soledad*, entre otras muchas obras, ganó el premio Nobel de Literatura en 1982.

Sí, ya lo sabía.
No, no lo sabía.
No, no tenía ni idea.
Yo pensaba que...
Yo creía que...

✧ Yo sabía que el lago Titicaca estaba entre Perú y Bolivia pero no sabía que era el más alto del mundo... Y tú, ¿lo sabías?

12 **A.** Aquí tienes uno de los dos informes que has leído en la página 77 del *Libro del alumno*. Faltan algunos conectores. ¿Puedes colocarlos en el texto?

Participación en el Salón Pielespain de Madrid. Resultados del estudio.

_____ su petición, se ha realizado un estudio sobre el Salón Pielespain.

_____, se alcanzó la cifra de 132 expositores y de 20 000 visitantes. Cabe señalar que en la edición anterior habían participado 98 empresas del sector y sólo 11 300 visitantes habían acudido al Salón.

_____, y según las conclusiones de la organización, hay que subrayar los siguientes aspectos:

1. Estaban presentes los mejores profesionales nacionales e internacionales de la piel.
2. Se presentaron innovaciones interesantes en lo relativo a nuevos tratamientos de la piel. En cuanto al diseño, parece ser que se consolidan las líneas atrevidas con colores fuertes.
3. La oferta de actividades paralelas fue muy variada y todos los fabricantes tuvieron la oportunidad de presentar sus creaciones. Se celebraron, _____, varios desfiles de modelos con una gran asistencia de público.

Así pues, parece clara la tendencia al aumento de expositores en importancia y calidad, _____ han subido las tarifas por metro cuadrado (200 € por m^2 + 7% IVA frente a 175 € el año pasado) y el coste de los derechos de inscripción (150 € + 7% IVA frente a 120 en la edición anterior).

_____ nuestra posible participación, _____, es cierto que la inversión es elevada y que la competencia directa estará presente en el salón, lo que nos obligaría a hacer un esfuerzo financiero en creatividad y recursos humanos sin estar seguros de obtener unos resultados inmediatos. _____, hay que destacar que Pielespain supone una gran oportunidad para realizar contactos interesantes. _____, es una muy buena ocasión para presentar directamente nuestros productos. _____, creemos aconsejable nuestra participación en el próximo Salón Pielespain, _____ los beneficios que podemos obtener compensarían la inversión y el esfuerzo.

Fernando Revilla

Dpto. de Ventas

ya que

respecto a

según

aunque

por ejemplo

además

en segundo lugar

en primer lugar

por otro lado

por último

por un lado

B. Ve a la página 77 del *Libro del alumno* y comprueba.

13 **A.** Vas a leer algunas indicaciones para participar con éxito en una feria. Antes, completa el texto con estas frases .

| | en cuanto a la participación, detallamos a continuación los pasos que se deberían seguir |

| | en primer lugar, y respecto a los objetivos de la participación |

| | en segundo lugar, todo lo relacionado con el stand: material necesario, personal, logística y servicios |

| | por último, no se olvide de las actividades posteriores a la celebración del salón |

| | y para terminar, recuerde que es fundamental hacer el seguimiento comercial de los contactos establecidos |

Las convocatorias feriales son instrumentos de marketing que favorecen el intercambio empresarial de todo tipo. En Barcelona se organizan anualmente más de 60 salones monográficos que ponen en contacto directo la oferta y la demanda de los diferentes sectores de cada actividad. Con el objetivo de rentabilizar al máximo la participación de nuestros expositores, les proponemos a continuación unas breves indicaciones.

(1) _____, antes de decidir participar, determine claramente cuáles son las intenciones de su empresa para participar en el Salón. Con relación al presupuesto, le aconsejamos que, para calcular la inversión total, tenga en cuenta los siguientes aspectos: primero, el espacio que va a contratar;
(2)_____; y en tercer lugar, la publicidad y la promoción.
(3)_____:
- defina y contrate el stand
- haga las reservas del viaje y del hotel
- diseñe la logística de participación
- planifique y dé información al personal de atención del stand
- prepare el catálogo de productos y la documentación comercial
- comience la campaña de publicidad y promoción con tiempo. Para ello, recuerde que la organización del salón le facilita elementos de comunicación que su empresa puede enviar a los clientes.
- defina, si es necesario, cuáles serán las ofertas especiales que su empresa va a presentar durante la feria.
(4) _____, en concreto: evaluar los resultados obtenidos y comprobar si se han cumplido o no los objetivos.
(5) _____.

B. De todos los consejos que has leído, ¿cuáles consideras más útiles? Coméntalo con tu compañero. ¿Añadiríais algún consejo más? Explicádselo a vuestro profesor y al resto de la clase.

 ✧ Para nosotros, lo más útil es... Y, además, pensamos que...

14 **A.** Tacha, en las siguientes listas, la palabra o palabras que no corresponden.

(1) Almacén, aparcamientos, expositores, letreros luminosos, mesas, paneles, estanterías.

(2) Captar clientes, conocer nuevas tendencias, contactar con proveedores, dar a conocer nuevos productos, realizar intercambios profesionales, pasear por otra ciudad, ver novedades.

(3) Contratar el stand, preparar un catálogo de productos, pagar el stand, reservar hoteles y billetes de avión, cancelar una cuenta, planificar los turnos en el stand, enviar publicidad.

(4) Repartir folletos, reservar el hotel, regalar muestras de productos, ofrecer degustaciones, contactar con proveedores, visitar los stands de la competencia.

B. ¿Con qué aspectos se relacionan los grupos léxicos anteriores?

Preparativos para una feria	Actividades comunes en una feria
Objetivos en una feria	Material necesario en un stand

15 Aquí tienes varias notas muy esquemáticas. Desarrolla las ideas que recogen las notas y escribe dos pequeños informes. Utiliza los conectores necesarios.

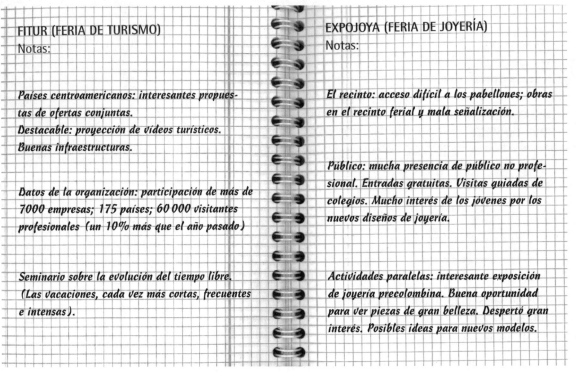

FITUR (FERIA DE TURISMO)
Notas:

Países centroamericanos: interesantes propuestas de ofertas conjuntas.
Destacable: proyección de vídeos turísticos.
Buenas infraestructuras.

Datos de la organización: participación de más de 7000 empresas; 175 países; 60 000 visitantes profesionales (un 10% más que el año pasado).

Seminario sobre la evolución del tiempo libre. (Las vacaciones, cada vez más cortas, frecuentes e intensas).

EXPOJOYA (FERIA DE JOYERÍA)
Notas:

El recinto: acceso difícil a los pabellones; obras en el recinto ferial y mala señalización.

Público: mucha presencia de público no profesional. Entradas gratuitas. Visitas guiadas de colegios. Mucho interés de los jóvenes por los nuevos diseños de joyería.

Actividades paralelas: interesante exposición de joyería precolombina. Buena oportunidad para ver piezas de gran belleza. Despertó gran interés. Posibles ideas para nuevos modelos.

16 **A.** Aquí tienes información sobre ALIMENTARIA MÉXICO y algunos datos sobre la economía mexicana. ¿Qué aspectos crees que son los más importantes para decidir si se acude a esta feria o no? Subráyalos en el texto.

Alimentaria México   **Alimentaria** México   **Alimentaria** México   **Alimentaria** México   **Alimentaria** México   **Alimentaria** México

ALIMENTARIA MÉXICO

tiene el objetivo de consolidar el intercambio de productos y tecnologías entre Europa y América.

México ha demostrado ser una de las economías emergentes más prometedoras en el mundo. Los Tratados de Libre Comercio que ha suscrito con numerosos países de América y los acuerdos con la Unión Europea, Mercosur y otros países del continente americano lo colocan en una posición privilegiada para importar, exportar y transformar productos alimenticios.

Las exportaciones agroalimentarias de México superan los 6600 millones de dólares y el consumo de productos importados crece un 12% anualmente. En 1998, el comercio total de alimentos rebasó los 14800 millones de dólares. Las importaciones en bienes de capital para el sector alimentario sobrepasan los 170 millones de dólares anuales.

Ficha técnica
- Denominación: ALIMENTARIA MÉXICO, Salón Internacional de Alimentos y Tecnología
- Lugar: Palacio de los Deportes, México, D.F.
- Fechas: Del 14 al 17 de noviembre
- Horario: De 11 : 00 a 19 : 00 h.
- Nº de expositores previstos: 350
- Nº de m² previstos: 14 000 m² ocupados
- Nº visitantes previstos: 15 000 visitantes profesionales
- Superficie mínima a contratar: 9 m²

Empresas que exponen en ALIMENTARIA MÉXICO:
- Los fabricantes de productos alimenticios frescos, congelados o procesados de alta calidad.
- Los representantes y comercializadores de productos alimenticios.
- Los proveedores de transporte, almacenamiento, exportación e importación de alimentos.
- Los proveedores de materias primas para la industria.
- Los proveedores de tecnología y equipos modernos.

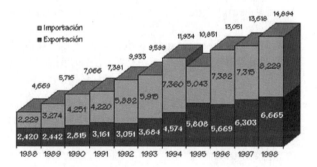

México, crecimiento del comercio exterior de alimentos

- Importación
- Exportación

Año	1988	1989	1990	1991	1992	1993	1994	1995	1996	1997	1998
Total	4,669	5,716	7,066	7,381	9,933	9,599	11,934	10,851	13,051	13,618	14,894
Importación	2,229	3,274	4,251	4,220	5,882	5,915	7,360	5,043	7,382	7,315	8,229
Exportación	2,420	2,442	2,815	3,161	3,051	3,684	4,574	5,808	5,669	6,303	6,665

B. Trabajas en una empresa española del sector de la alimentación. ¿Crees que es buena idea participar en esta feria? ¿Por qué? Redacta un pequeño informe que refleje tu opinión.

Respecto a la posible participación de nuestra empresa en ALIMENTARIA MÉXICO, considero que...

COMPRUEBA TUS CONOCIMIENTOS

1 Elige la opción más adecuada.

1. _____ duele mucho la cabeza.
- ☐ a. A mí
- ☐ b. Me
- ☐ c. A él
- ☐ d. Se

2. En nuestra empresa _____ todo el mundo.
- ☐ a. tutea
- ☐ b. tuteamos
- ☐ c. se tutea
- ☐ d. se tutean

3. No se _____ el uso de aparatos de telefonía móvil.
- ☐ a. debe
- ☐ b. permite
- ☐ c. puede
- ☐ d. prohibido

4. Las ventanas, no las _____ abiertas, por favor.
- ☐ a. dejad
- ☐ b. dejen
- ☐ c. deja
- ☐ d. dejáis

5. Los albaranes no _____ tienen que firmar las agencias de transportes.
- ☐ a. se
- ☐ b. te
- ☐ c. las
- ☐ d. los

6. En nuestro sector _____ cuida mucho la imagen.
- ☐ a. todos
- ☐ b. muchos
- ☐ c. el mundo
- ☐ d. la gente

7. Perdone, el cheque, ¿puede _____ en mi cuenta?
- ☐ a. ingresarlo
- ☐ b. revisarlo
- ☐ c. cambiarlo
- ☐ d. cobrarlo

8 Cuando _____ su clave de acceso, _____ operar con sus cuentas.
- ☐ a. tendrá/podrá
- ☐ b. tenga/pueda
- ☐ c. tendrá/puede
- ☐ d. tenga/podrá

9. Nuestro banco _____ inaugurar una nueva oficina.
- ☐ a. acaba de
- ☐ b. empieza a
- ☐ c. deja de
- ☐ d. suele

10. _____cuando _____ cualquier tipo de información.
- ☐ a. Llámenos/necesitará
- ☐ b. Llámenos/necesite
- ☐ c. Llámanos/necesite
- ☐ d. Llámanos/necesitarás

11. ¿Qué comisión de _____ te cobran?
- ☐ a. domiciliación
- ☐ b. apertura
- ☐ c. cuota
- ☐ d. tasación

12. ¿Por qué no consultas _____ para saber cómo vamos este mes?
- ☐ a. el extracto
- ☐ b. el pago
- ☐ c. el préstamo
- ☐ d. la nómina

13. Antes _____ un crédito, es necesario informarse.
- ☐ a. pedir
- ☐ b. a pedir
- ☐ c. de pedir
- ☐ d. que pide

14. ¿Hacéis _____ la semana que viene en vuestra empresa?
- ☐ a. puente
- ☐ b. dieta
- ☐ c. jornada
- ☐ d. propina

15. Los paneles _____ mal instalados y por eso _____.
- ☐ a. estuvieron/se cayeron
- ☐ b. estaban/se cayeron
- ☐ c. estuvieron/se caían
- ☐ d. estaban/se caían

16. _____ que estaba en Madrid y tenía que...
- ☐ a. Entonces
- ☐ b. Además
- ☐ c. Resulta que
- ☐ d. De repente

17. _____ el informe, tenemos muchas posibilidades de éx
- ☐ a. Como
- ☐ b. Aunque
- ☐ c. Mientras
- ☐ d. Según

18. Cuando llegamos hacía poco que _____ la conferencia...
- ☐ a. empezó
- ☐ b. empezaba
- ☐ c. había empezado
- ☐ d. ha empezado

19. Creo que no está todo, _____ los folletos.
- ☐ a. falta
- ☐ b. sobra
- ☐ c. faltan
- ☐ d. sobran

20. En el congreso _____ muchas conferencias en español.
- ☐ a. hubieron
- ☐ b. hubo
- ☐ c. estuvieron
- ☐ d. estuvo

Resultado:	de 20

2 Lee esta información sobre la tarjeta de crédito BCB y responde a las preguntas.

DISPONGA DE DINERO CÓMODAMENTE EN TODO EL MUNDO

TARJETAS DE CRÉDITO BCB

Las Tarjetas de Crédito BCB son un medio de pago que goza de un gran prestigio internacional y que usted podrá utilizar para adquirir bienes y servicios y para obtener dinero en metálico en entidades bancarias y cajeros automáticos de todo el mundo.

Cada vez que utilice su tarjeta BCB para realizar sus compras, acumulará puntos que podrá cambiar por entradas a parques temáticos y de atracciones, zoos, cines, casas rurales, hoteles y viajes por todo el mundo.

Usted podrá elegir la forma de pago, entre las siguientes opciones:

Inmediato: Las compras se le cargan a su cuenta el mismo día en que las realizó. Sin intereses.

Fin de mes: Las compras realizadas a lo largo del mes se le cargan en su cuenta el día 15 del mes siguiente. Sin intereses.

Pago con cuota fija mensual: De las compras y disposiciones realizadas, el día 15 de cada mes le cargan únicamente la cuota que tenga establecida, estando incluidos, intereses y comisiones.

Pago con cuota porcentaje mensual: De las compras y operaciones realizadas, el día 15 de cada mes le cargan un porcentaje, más intereses (1,85%) y comisiones.

Independientemente de la modalidad de pago elegida, usted recibe en su domicilio un extractomensual donde se recogen todas las operaciones realizadas durante el mes anterior. Y si lo desea, con tan solo una llamada a Línea BCB (900 01 01 01), cada mes podrá decidir la cantidad que desea pagar, dejando el resto para el mes siguiente.

En caso de robo o pérdida de su tarjeta, la responsabilidad por uso ilegal antes de la notificación al BCB está limitada a un máximo de 250 euros. Si las compras están realizadas después de la notificación, el BCB asume el 100% de la operación.

El BCB ofrece a todos sus clientes la posibilidad de contratar a través de toda su red de sucursales, o a través de Línea BCB, un seguro de protección de tarjetas.

Además, BCB premia su confianza. Por realizar sus compras con la tarjeta acumulará puntos para un sorteo de una vuelta al mundo para dos personas.

1. ¿En qué modalidades de pago no se pagan intereses o comisiones?
2. ¿De qué manera está el cliente informado sobre las compras que ha realizado con su tarjeta?
3. ¿Puede el cliente decidir la modalidad de pago de su tarjeta? ¿Cuándo?
4. Si un cliente pierde su tarjeta BCB, ¿se responsabiliza el banco de los gastos que ocasione un posible uso ilegal de la tarjeta?
5. ¿Qué estrategia utiliza el BCB para que sus clientes utilicen la tarjeta en sus compras?

3 Vas a escuchar a una persona que ha estado recientemente en una feria.
Escucha y decide si las siguientes afirmaciones son verdaderas o falsas.

	VERDADERO	FALSO
1. En la feria no había muchos expositores extranjeros.		
2. Fueron a la feria para conseguir nuevos clientes.		
3. Fueron a la feria para ver novedades y conocer a nuevos proveedores.		
4. Hicieron varios encargos a unos fabricantes franceses de muebles.		
5. No hubo problemas en los accesos: había muchos autobuses directos desde varios lugares de la ciudad.		

4 Imagina que el mes pasado participaste en una feria. Escribe un informe explicando tu experiencia en ella. No te olvides de hablar de los siguientes aspectos:

tipo de público y contactos

problemas

el stand

la organización

novedades interesantes

Internet

Ejercicios

1 **A.** Lee los anuncios de dos sitios web que ofrecen servicios parecidos y decide cuál te convence más.

www.viajar.com
Nuestro objetivo es ponérselo fácil

Entrar

● Consulte www.viajar.com para viajar con tranquilidad

● Consulte www.viajar.com para planificar sus viajes por carretera

● Consulte www.viajar.com para encontrar hoteles y restaurantes

● Consulte www.viajar.com para no perderse en una ciudad desconocida

● Consulte www.viajar.com para conocer las previsiones meteorológicas

● Consulte www.viajar.com para calcular sus gastos

¿Necesita una guía para planificar sus viajes por Europa?

En www.mapa.com tiene la respuesta

Porque hemos diseñado nuestro sitio para que usted tenga acceso a todo tipo de informaciones prácticas y turísticas.

Encontrará planos detallados para desplazarse por una ciudad, una selección de itinerarios por carretera, datos para calcular los costes del viaje, información sobre la previsión meteorológica, direcciones y teléfonos para reservar hoteles y... ¿Y si visita nuestro sitio y lo comprueba?

Seamos sinceros. Nuestro objetivo es que usted no pueda vivir sin nosotros. Y lo conseguiremos.

B. Elige una frase de los textos que corresponda a cada una de las estructuras del cuadro y escríbela en el lugar adecuado.

EXPRESAR FINALIDAD
PARA + Infinitivo

NUESTRO OBJETIVO ES+ Infinitivo

PARA QUE + Subjuntivo

NUESTRO OBJETIVO ES QUE + Subjuntivo

C. Ahora, rellena los espacios en blanco.

Para expresar la finalidad de algo podemos utilizar **para +** _____ cuando el sujeto del verbo conjugado y el del Infinitivo es el mismo. Por ejemplo, "Consulte (usted) www.viajar.com para viajar (usted) con tranquilidad".

En cambio, utilizaremos **para que +** _____ cuando los sujetos son diferentes. Por ejemplo: "Hemos diseñado (nosotros) nuestro sitio para que usted tenga acceso a todo tipo de informaciones".

Para expresar finalidad también podemos utilizar la expresión **mi/tu/su/nuestro/vuestro objetivo es +** Infinitivo, o **+ que +** Subjuntivo.

2 **A.** Completa la circular que un banco ha enviado a sus clientes para anunciarles el lanzamiento de su banco electrónico BANCASA. Puedes utilizar las ideas de los recuadros.

OPERACIONES:	VENTAJAS:
• consulta de extractos de cuentas	• tendrá rapidez de acceso
• transferencias	• podrá navegar sin esperas inútiles
• operaciones de Bolsa	• obtendrá toda la información sobre productos y mercados
• domiciliaciones de recibos	• lo utilizará de un modo muy fácil
• órdenes de pagos	• personalizará al máximo el trato con nosotros
• seguimiento de créditos	• dispondrá de una actualización constante
	• contará con una seguridad absoluta

BANCOVER
Sargadelos, 13
28001 MADRID

Bancover
Servicio de banca a distancia

Madrid, 12 de julio de 2001

Estimado cliente:

Tenemos el placer de comunicarle que acabamos de inaugurar un nuevo servicio que estamos seguros va a ser de su interés.

¿Quiere disponer realmente de un banco en casa para consultar sus extractos, ..., ..., ..., ..., sin desplazamientos y sin límite de horarios?

YA LO TIENE CON BANCASA

Estamos aquí para que usted tenga rapidez de acceso, ..., ..., ..., ..., ..., ...
Nuestro objetivo fundamental es que su vida sea más cómoda.

No dude en ponerse en contacto con nosotros.

Atentamente,

Mila Castro
Departamento de Marketing.

B. ¿Te interesaría la oferta de este banco o prefieres ir personalmente a la oficina bancaria para resolver tus asuntos? Coméntalo con tu compañero.

◇ A mí la idea de hacer operaciones bancarias con un ordenador no me convence nada.
★ Pues yo pienso que...

3 Fíjate en el vocabulario que aparece en la ilustración. Subraya las palabras que no aparecen en los textos de la página 85 del *Libro del alumno*.

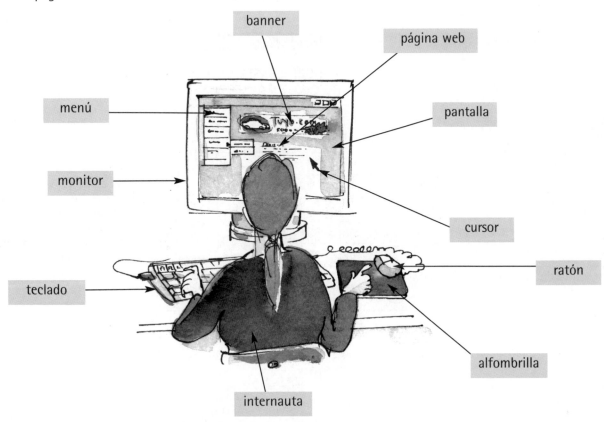

banner

página web

menú

pantalla

monitor

cursor

teclado

ratón

alfombrilla

internauta

4 **A.** Inventa cuatro direcciones de páginas web que te parezcan comerciales y decide cuál podría ser el contenido de cada una.

http://

http://

http://

http://

B. Dictale las direcciones a tu compañero y escribe las que te va a dictar. ¿Eres capaz de adivinar qué empresas o servicios hay detrás de las direcciones?

http://

http://

http://

http://

5 **A.** Lee y analiza el resultado de una encuesta realizada a 100 usuarios de una página web que vende material informático. ¿Qué es lo que más valoran? ¿A qué dan menos importancia?

VALORACIÓN DE 100 USUARIOS DE LA PÁGINA WEB DE COMPUNET			
	MUCHO	BASTANTE	POCO
• Facilidad de paso de una sección a otra	80	15	5
• Claridad de los iconos	75	10	15
• Colores fuertes para llamar la atención	35	45	20
• Rapidez de descarga	80	20	0
• Barra de navegación con contenidos claros	70	25	5
• Predominio de las imágenes sobre textos	30	40	30
• Buzón para ponerse en contacto con la empresa	85	10	5
• Letra grande y clara	35	25	40
• Inclusión de muchas ventanas y enlaces	30	35	35
• Muchas imágenes en movimiento	30	25	45

 ✧ ¿Has visto? Un 80% valora mucho la posibilidad de ir de una sección a otra con rapidez.
★ Pues sí, pero hay algo más importante...

B. A partir de estos resultados, elabora una lista de recomendaciones para alguien que quiera crear una página web.

Recomendaciones:

• *Es imprescindible que el usuario pueda pasar fácilmente de una sección a otra.*

> básico
> fundamental
> necesario
> (No) Es imprescindible
> conveniente   + que + Presente de Subjuntivo
> recomendable
> útil
> importante

6 **A.** Decide si las siguientes afirmaciones sobre la historia de Internet son verdaderas o falsas.

	V	F
1. Internet existe desde hace 50 años.		
2. Internet siempre ha tenido el mismo nombre.		
3. Los militares fueron los primeros en utilizar la red.		
4. Los investigadores se interesaron muy pronto por Internet.		
5. La finalidad de Internet consiste en conectar ordenadores entre sí.		
6. Hace unos 15 años que se creó la versión actual de Internet.		

B. Lee el texto siguiente y comprueba tus respuestas.

Puede parecer que Internet **lleva pocos años funcionando**, pero en realidad ya **hace más de 30 años que fue creado**. Al principio apenas había cinco ordenadores en todo el mundo y el desarrollo de la red telefónica era mínimo.

Pero, a comienzos de los 60, los avances informáticos dieron un salto enorme. En aquellos momentos había en todo el mundo un parque informático de unos 100 ordenadores. Sin embargo, ya se veía la necesidad de conectarlos y de poder compartir sus recursos.

Se puede decir que el embrión de lo que después fue Internet **existe desde** **1969**, con la creación de ARPANET. Este proyecto fue financiado por la Advanced Research Projects Agency (ARPA), organismo dependiente del Departamento de Defensa de los Estados Unidos.

En realidad, la red se empezó a desarrollar **desde que el gobierno de los Estados Unidos vio su utilidad** para la estrategia defensiva. En el contexto político mundial de la década de los 60, para los responsables de defensa de los EE UU era necesario crear un sistema de comunicación de datos a prueba de un ataque nuclear. Por eso se puede afirmar que **la red existe desde hace mucho tiempo**, aunque al principio se utilizó sólo para fines militares.

Sin embargo, desde el principio, los investigadores fueron conscientes de que ante ellos tenían el mayor y más potente canal de comunicación de la historia después de la imprenta y vieron enseguida la posibilidad de interconectar los ordenadores de los centros de investigación.

A pesar de todo, no hace mucho más de dos décadas que tenemos acceso a la red; exactamente desde 1986, año en que surgió NSFNET, el sistema que sustituyó a ARPANET y que conectaba a todos los usuarios de seis superordenadores. Poco después, su uso se extendió al campo de la investigación y de la ciencia. Actualmente, existen millones de usuarios de Internet repartidos por todo el mundo.

C. Ahora lee el cuadro siguiente y coloca las frases del texto que están en negrita en el apartado que les corresponde.

HABLAR SOBRE EL PRINCIPIO DE UNA ACTIVIDAD
Para tomar un punto de referencia en el pasado a partir de que se produce un suceso o situación, se emplea: - VERBO (EN PRESENTE) + **DESDE** + FECHA: .... - **DESDE** + **QUE** + VERBO: ....
HABLAR DEL TIEMPO TRANSCURRIDO HASTA EL PRESENTE
Para contar el tiempo que ha pasado desde un suceso, se emplea: - **HACE** + CANTIDAD DE TIEMPO + **QUE** + VERBO: .... - VERBO (EN PRESENTE) + **DESDE HACE** + CANTIDAD DE TIEMPO: .... - **LLEVAR** + CANTIDAD DE TIEMPO + GERUNDIO: ....

D. Escribe una frase sobre ti utilizando estas estructuras.

1. VERBO + DESDE + FECHA _____
2. DESDE + QUE + VERBO _____
3. HACE + CANTIDAD DE TIEMPO + QUE + VERBO _____
4. VERBO + DESDE HACE + CANTIDAD DE TIEMPO _____
5. LLEVAR + CANTIDAD DE TIEMPO + GERUNDIO_____

7 **A.** ¿Qué problemas crees que tienen las personas a las que van dirigidas las siguientes sugerencias? Coméntalo con tu compañero.

1

Es normal que estés agotado. Es época de exámenes, ya lo sé, pero dos noches seguidas... Te sugiero que duermas un poco más.

4

¿Hace cinco años que lo estudia? ¿Y todavía no sabe tocar nada? Pues yo le sugiero que vaya a hacer un curso de un año a Austria. Aprenderá mucho.

2

Tres años en el mismo puesto y sin ningún tipo de promoción no es muy normal. ¿Por qué no hablas con tu jefe y le expones tu problema?

5

Hace natación, sí, pero si viene sólo un día a la semana no va a aprender nada. Yo le propongo que haga nuestro programa que combina natación y gimnasia. Verá como elimina el dolor de espalda.

3

¡Dos noches buscando en Internet y no has encontrado nada! ¿Y si vas directamente a mi agencia de viajes? Yo siempre encuentro vuelos muy baratos.

6

¿No me digas? ¿Dices que no quiere hablar contigo desde hace una semana? ¡Qué raro! Pero si Jorge nunca se enfada... Seguro que le hiciste algo. Yo le invitaría a cenar y hablaría con él...

◇ ¿Qué crees que le pasa al primero?
★ Lleva dos noches sin dormir porque...

B. ¿Qué crees que han dicho exactamente estas personas?

1. *Llevo dos noches estudiando para el examen.*

2.

3.

4.

5.

6.

8 A. En parejas A y B.

Alumno A.
A. Pregunta a tu compañero para saber si hace alguna de estas cosas. Si la
respuesta es "sí", pregúntale cuánto tiempo hace que la realiza y toma notas.

- toca algún instrumento musical
- va en coche normalmente
- consume alimentos dietéticos
- se interesa por los problemas ecológicos
- se relaciona con gente que habla español
- lee el periódico regularmente y cuál

◇ ¿Tocas algún instrumento?
★ Sí, la guitarra.
◇ Y ¿desde cuándo?
★ Desde que tenía ocho años.

Alumno B.
A. Pregunta a tu compañero para saber si hace alguna de estas cosas. Si la
respuesta es "sí", pregúntale cuánto tiempo hace que la realiza y toma notas.

- estudia otro idioma
- fuma
- colecciona algo y qué
- utiliza el ordenador para su trabajo/sus estudios
- practica algún deporte y cuál
- usa lentes de contacto

◇ ¿Estudias otro idioma?
★ Sí, japonés.
◇ Y, ¿desde cuándo?
★ Desde hace dos años.

B. Ahora explica al resto de la clase lo que has averiguado sobre tu compañero.

9 A. Vas a escuchar a varias personas que hablan de cosas que desean o esperan. ¿En qué situación
se encuentran?

1. *Un estudiante el primer día de clase.*
2.
3.

4.
5.
6.

B. Vuelve a escuchar y comprueba los resultados si no estás seguro.

SOLUCIONES

1. Un estudiante el primer día de clase. 2. Una clienta descontenta con un producto. 3. Una mujer que está esperando un hijo. 4. Un jefe de Personal que quiere contratar a alguien. 5. El piloto de un avión a sus pasajeros. 6. El responsable de Marketing de una empresa a una agencia de publicidad.

10 **A.** Escucha la reunión del equipo de marketing de PAPIRUS S.A. ¿Cuál es el motivo de la reunión?

 B. Vuelve a escuchar y resume las opiniones de todos los participantes.

El jefe pide que...

Laura propone que..

Miguel sugiere que..

Iván prefiere que...

Delia necesita que...

Rosa pide que...

C. ¿Qué solución crees que van a adoptar? Coméntalo con tu compañero.

✧ Pues yo diría que...

11 Escribe frases explicando tus deseos e intenciones sobre los aspectos siguientes.

1. Un apartamento o una casa que quieres comprar.
   Quiero que tenga una terraza con vistas. Necesito ver el cielo.
2. Tu futuro profesional.
   _____
3. Tus próximas vacaciones.
   _____
4. Un curso de formación que empiezas hoy.
   _____
5. Una cena a la que estás obligado a ir sin tener ganas.
   _____
6. Un cliente al que vas a recibir y al que tienes que enseñarle la ciudad.
   _____
7. Un coche que quieres comprar.
   _____
8. Unas reformas que quieres hacer en tu casa.
   _____

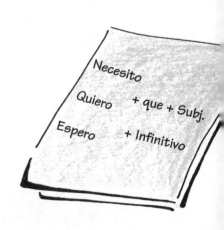

Necesito

Quiero + que + Subj.

Espero + Infinitivo

12 **A.** Martina va a visitar Sevilla próximamente. Lee el correo electrónico que le envía Carmen, su amiga sevillana. Según Carmen, ¿qué vale la pena visitar en Sevilla?

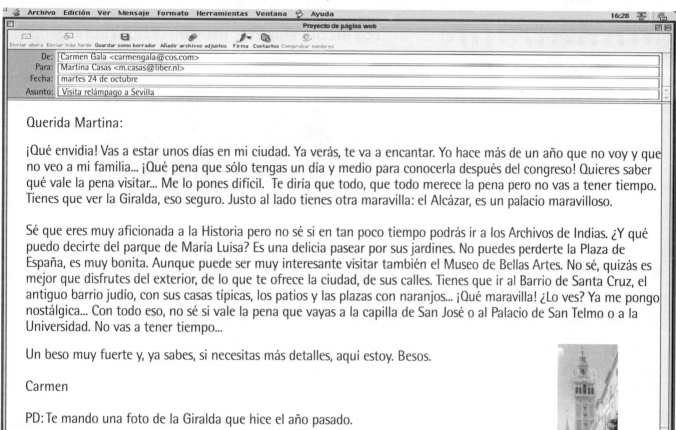

Archivo Edición Ver Mensaje Formato Herramientas Ventana Ayuda   16:28

Proyecto de página web

Enviar ahora Enviar más tarde Guardar como borrador Añadir archivos adjuntos Firma Contactos Comprobar nombres

De: Carmen Gala <carmengala@cos.com>
Para: Martina Casas <m.casas@liber.nl>
Fecha: martes 24 de octubre
Asunto: Visita relámpago a Sevilla

Querida Martina:

¡Qué envidia! Vas a estar unos días en mi ciudad. Ya verás, te va a encantar. Yo hace más de un año que no voy y que no veo a mi familia... ¡Qué pena que sólo tengas un día y medio para conocerla después del congreso! Quieres saber qué vale la pena visitar... Me lo pones difícil. Te diría que todo, que todo merece la pena pero no vas a tener tiempo. Tienes que ver la Giralda, eso seguro. Justo al lado tienes otra maravilla: el Alcázar, es un palacio maravilloso.

Sé que eres muy aficionada a la Historia pero no sé si en tan poco tiempo podrás ir a los Archivos de Indias. ¿Y qué puedo decirte del parque de María Luisa? Es una delicia pasear por sus jardines. No puedes perderte la Plaza de España, es muy bonita. Aunque puede ser muy interesante visitar también el Museo de Bellas Artes. No sé, quizás es mejor que disfrutes del exterior, de lo que te ofrece la ciudad, de sus calles. Tienes que ir al Barrio de Santa Cruz, el antiguo barrio judío, con sus casas típicas, los patios y las plazas con naranjos... ¡Qué maravilla! ¿Lo ves? Ya me pongo nostálgica... Con todo eso, no sé si vale la pena que vayas a la capilla de San José o al Palacio de San Telmo o a la Universidad. No vas a tener tiempo...

Un beso muy fuerte y, ya sabes, si necesitas más detalles, aquí estoy. Besos.

Carmen

PD: Te mando una foto de la Giralda que hice el año pasado.

B. Imagina que un amigo tuyo va a visitar tu ciudad pero dispone de poco tiempo. Indícale lo que vale la pena y lo que no merece la pena que conozca. Escríbelo.

13 **A.** ¿Qué haces para memorizar nuevas palabras? Lee esta lista de estrategias y marca con una cruz cuáles son las que tú utilizas con más frecuencia.

- Leer y repetir listas de palabras con la traducción a tu lengua
- Escribirlas varias veces y repetirlas
- Usarlas en los textos que escribes
- Utilizarlas en las conversaciones con tus compañeros
- Leer y escuchar textos en los que puedan aparecer las palabras nuevas
- Tratar de asociarlas con palabras similares de tu lengua
- Intentar asociarlas con palabras similares de otras lenguas que conoces
- Confeccionar tu diccionario particular de palabras con la traducción en tu lengua
- Poner papeles por tu casa con los nombres de las cosas en español

B. Habla con tu compañero y comparad cuáles son las estrategias que os parecen más útiles.

14 **A.** Aquí tienes un gráfico sobre los inconvenientes del comercio electrónico. Analízalo y haz una lista de lo que crees que una empresa tiene que incluir para vender sus productos por Internet.

- Seguridad absoluta en el pago

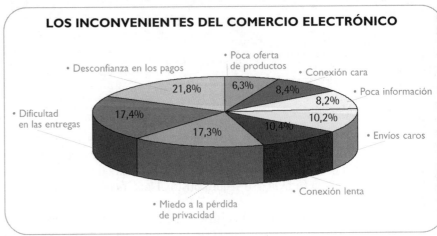

LOS INCONVENIENTES DEL COMERCIO ELECTRÓNICO

- Poca oferta de productos — 6,3%
- Desconfianza en los pagos — 21,8%
- Conexión cara — 8,4%
- Poca información — 8,2%
- Dificultad en las entregas — 17,4%
- 10,2%
- 10,4%
- 17,3%
- Envíos caros
- Conexión lenta
- Miedo a la pérdida de privacidad

B. Lee la carta de la página 88 del *Libro del alumno* y subraya las frases que lleven los verbos siguientes. Fíjate en su construcción.

recordar   querer   preferir   desear   pretender   rogar   necesitar   esperar

C. Trabajas en Musicalia, una empresa que vende material discográfico. Continúa la carta de encargo de un proyecto de diseño de una página web. Utiliza los verbos y las ideas de los apartados anteriores.

MUSICALIA
Madrazo, 56
08001 BARCELONA

Barcelona, 25 de julio de 2001

Estimados Señores:

Nos dirigimos a DISEÑOWEB para encargarles la realización del diseño de una página web para nuestra empresa. En MUSICALIA hemos decidido ampliar nuestro mercado a través del comercio por la red. Aunque es un gran reto, debido a la competencia que existe en este sector, creemos que nuestro fondo musical es suficientemente amplio y variado como para poder ofrecerlo a través de Internet.

Les adjunto un documento con los detalles de los servicios concretos que queremos ofrecer a nuestros clientes. Sin embargo, quisiéramos puntualizar algunos aspectos de tipo general para poder ofrecer un mejor servicio a nuestros futuros clientes.

Ante todo, queremos que el cliente tenga una seguridad absoluta en el sistema de pago...

Atentamente,

15 **A.** Escucha a Bárbara, una estudiante de español que está comparando el español con otras lenguas. ¿Con cuáles?

B. Vuelve a escuchar y marca si ha dicho las siguientes frases.

	SÍ	NO
1. Aprender español es más complicado de lo que creía.		
2. El inglés me cuesta más que el español.		
3. Hablar español me plantea más problemas que escribirlo.		
4. Encuentro más fácil hablar por teléfono que escribir correos electrónicos.		
5. Los ejercicios escritos no me gustan tanto como las actividades orales.		
6. La gramática no es tan difícil como parece.		
7. Es más fácil entender un texto escrito que a un nativo hablando.		

C. Ahora piensa en tus impresiones como estudiante de español. ¿Qué diferencias o semejanzas hay entre tu lengua y el español?

16 **A.** Antes de leer el artículo, fíjate en el título "Internet y el español", ¿de qué crees que va a tratar? Coméntalo con tu compañero.

INTERNET Y EL ESPAÑOL

Los humanos no somos los únicos que tenemos que adaptarnos a las nuevas tecnologías, las lenguas también, y el español no es una excepción.

Internet ha transformado enormemente nuestras vidas; ha nacido una nueva forma de comunicación que además de modificar nuestras costumbres, nos ha obligado a crear y adaptar un nuevo vocabulario. La mayor parte del léxico relacionado con Internet proviene del inglés y su inserción en la lengua a menudo provoca algún problema. En muchos casos, esas nuevas palabras mantienen su forma inglesa, por ejemplo la palabra *web*. En otros casos, las palabras conservan su forma original pero se adaptan al español: "acceso" a partir de *access*, "dominio" de *domain*. Otras son adaptaciones de palabras inglesas "bajar" por *download*, "navegación" por *navigate*. También existe algún híbrido de inglés y de castellano, como "chatear".

El dilema que se plantea es el mismo que el que hubo tiempo atrás con palabras relacionadas con el deporte o con otros campos técnicos: nuestra lengua tiene que digerir y asimilar una gran cantidad de palabras provenientes del inglés. Y aquí caben todas las opiniones.

El principal problema del léxico relacionado con Internet viene dado por el alcance y la magnitud del medio, por lo que se puede prever que esas palabras tendrán una amplia difusión. Pero, por otra parte, quizás en el mismo medio se pueda encontrar la solución. ¿Por qué no aprovechar las inmensas ventajas de comunicación de Internet para discutir y poner en común esta terminología entre la comunidad hispanohablante?

B. Mira en la unidad 7 del *Libro del alumno* las palabras inglesas que has encontrado y haz una lista con ellas. ¿Te parece que son muchas o pocas? ¿Ocurre lo mismo en tu lengua? Comentadlo con la clase.

8

Correspondencia comercial

Ejercicios

1 A. ¿Sabes cómo se llaman las diferentes partes de una carta?

1 Destinatario	A. Reciba un cordial saludo.
2 Fecha	B. Óscar Larios Jefe de Comunicación

3 Despedida	C. COCIMAX
	   Cervantes, 48
	   28000 Madrid

4 Dirección	
5 Firma	D. Bilbao, 13 de julio de 2001
	E. Estimada Señora Rozas:
6 Saludo	F. A la atención de Maite Rozas

B. Completa la carta con los elementos anteriores.

LAYRE, MOBILIARIO DE COCINA, S. A.
Rodríguez Arias, 45
48011 BILBAO

Tenemos el gusto de dirigirnos a usted con motivo de la celebración de la nueva edición de la Feria "EXPOMUEBLE", que tendrá lugar del 12 al 17 de octubre próximo, en el recinto ferial Juan Carlos I (Madrid).

Como en años anteriores, LAYRE estará presente en esta exposición con una amplia gama de productos y tendremos mucho gusto en recibirla, para mostrárselos y darle toda clase de información sobre los mismos.

---

2 **A.** ¿Cuáles de las siguientes expresiones son saludos y cuáles despedidas?

Estimada Sra. Cortázar:

Un cordial saludo.

Cordialmente,

Atentamente,

Un fuerte abrazo.

¡Hola Pedro!

Querida Carla:

Estimados señores:

¿Qué tal, Fernando?

Muchos besos y
recuerdos para todos.

Aprovechamos la ocasión para
saludarles atentamente.

Distinguidos clientes:

Les saluda atentemente,

Un beso,

Luisa:

SALUDOS	DESPEDIDAS

B. De las expresiones anteriores, ¿cuáles crees que no se utilizan habitualmente
en la correspondencia comercial?

3 Busca y anota las expresiones equivalentes en la carta de la página 100 del *Libro del alumno.*

1. Les mandamos...	*Nos complace enviarles...*
2. ...nos pidieron...	
3. Por lo que se refiere a...	
4. Cuando reciban...	
5. ...ascienda a más de...	
6. la mercancía les llegará...	
7. ...corre a cuenta suya.	
8. les interesen...	

4 **A.** Escucha la conversación y completa el cuadro con los datos sobre MIKEA.

	verdadero	falso
1. MIKEA es un cliente potencial.		
2. MIKEA respeta las fechas de pago.		
3. El importe del pedido asciende a 30 000 euros.		
4. MIKEA paga sus facturas a 90 días f.f.		
5. A veces, MIKEA paga a 30 días f.f.		
6. MIKEA no interesa como cliente.		

B. Con los datos del apartado anterior, decide qué condiciones de pago y de entrega aplicarías a MIKEA S. A.

FORMA DE PAGO _____

DESCUENTO _____

PLAZO DE ENTREGA _____

TRANSPORTE A CARGO DE _____

C. Ahora, escribe una carta al posible cliente informándole sobre las condiciones comerciales que vas a ofrecerle.

MIKEA S.A.
Avda. Rodrigo s/n
08004 MADRID

Estimados señores:

Nos complace mandarles las condiciones comerciales que podemos ofrecerles en relación a su pedido.

Por lo que se refiere a las condiciones de pago,

Estamos dispuestos a concederles un descuento del

Realizaremos la entrega

El transporte

Deseamos que estas condiciones les convengan y que este primer envío sea el inicio de una larga y fructífera relación comercial.

Reciba un cordial saludo.

Departamento Comercial

5 **A.** Estas dos cartas son de la empresa Mara Moda. ¿Cuál es el motivo de cada una de las cartas?

MARA MODA
C/Trafalgar 10
08010 Barcelona
Teléfono: 93 268 03 01
Fax: 93 320 67 23

s/ref. CT/SR 238   n/ref. RMP/FT 421

PONS, S. A.
Departamento de Contabilidad
Serrano, 127
41005 Sevilla

                    Barcelona, 4 de julio de 2001

Asunto:

Les adjunto un cheque por un valor de 1435 euros (mil cuatrocientos treinta y cinco euros), correspondiente a su factura nº 235 con fecha 15 de mayo del presente año.

Sin otro particular, se despide atentamente,

Rosa María Pereira
Departamento de Administración
Mara Moda

MARA MODA
C/Trafalgar 10
08010 Barcelona
Teléfono: 93 268 03 01
Fax: 93 320 67 23

Sr. Felipe Garuz Cortés
Dpto. de Compras
SAMUR, S. A.
Tomás Bretón, 45
28045 Madrid

Apreciado Sr. Garuz:

Próximamente voy a desplazarme a Madrid para presentar personalmente a nuestros mejores clientes nuestra nueva colección de invierno. Si no ve ningún incoveniente, me gustaría concertar una cita con usted para el lunes día 3 o el martes día 4 por la mañana. Si no le fuera posible, podríamos aplazar la entrevista para otro día. Estaré en su ciudad durante la primera semana de noviembre.

Pilar Rebollo
Dpto. de Ventas
Mara Moda

B. Lee otra vez las cartas; a cada una le faltan dos cosas, ¿sabes cuáles?
Coméntalo con tus compañeros.

6 ¿A qué tipo de carta comercial corresponden los fragmentos que aparecen en la página siguiente?

☐ Aplazamiento de un pedido

☐ Reclamación de una factura

☐ Anulación de un pedido

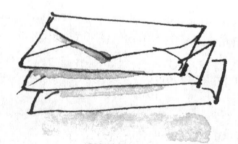

1

   Les devolvemos adjunta su factura referenciada en la parte superior, puesto que han considerado el precio de 23 euros/u. cuando el que habíamos establecido era de 21 euros/u.
   Por tal motivo, les rogamos que nos vuelvan a enviar dicha factura...

2

   Dado que el plazo establecido para la entrega de nuestro pedido A/890 no se ha respetado, y considerando que lo necesitábamos urgentemente, les comunicamos la cancelación del mismo.

3

   Hacemos referencia a su pedido nº 4567, cuyas condiciones aceptamos en su totalidad. Sin embargo, al proceder a su envío, nos encontramos con que no disponemos de la cantidad que solicitan. Por este motivo, les rogamos que acepten nuestras disculpas y les garantizamos que recibirán la entrega de la mercancía en un plazo máximo de una semana.

7 Aquí tienes una pequeña lista de nuevas abreviaturas. Con tu compañero, intenta deducir qué significado pueden tener. Comprobad después en las soluciones.

S. L. _____	Dpto. _____
Rte. _____	Sra. _____
hnos. _____	nº _____
Cía. _____	dto. _____
Sr. _____	C. P. _____
n/cta. _____	S. A. _____

◇ Pues S.L. podría ser...
★ No, yo creo que...

8 Una compañera de trabajo tiene que escribir una carta urgente a un cliente pero en este momento no puede hacerlo y te pide que la ayudes. Sigue sus instrucciones.

TERSA
Manrique 43, 3º
04005 ALMERÍA

Perdona, pero es que tengo que salir de la oficina y voy a estar todo el día fuera. Hay que enviar una carta urgente a ZABALETA S. A. (a Laura Ros, Dpto. de Contabilidad). ¿Podrías escribirla tú?

Les hemos reclamado dos veces el pago de la factura 2567 (el importe es de 15 000 euros).

Tienen un retraso de 50 días.

Es la tercera vez que ocurre lo mismo.

Normalmente les hacemos un descuento del 5% por pago a 30 días f.f. El problema es que nunca pagan a 30 días.

Tienen que pagar dentro de una semana o les retiramos el descuento del 5%.

Queremos una respuesta inmediata.

Muchas gracias.
Inés

```
Zabaleta S.A.
Andauri, 98
48011 BILBAO
```

9 Une las palabras de la columna de la izquierda con las de la derecha para obtener expresiones de uso frecuente en la correspondencia comercial. Hay más de una posibilidad.

reclamar	un pago
enviar	un documento
aplazar	un envío
pagar	una entrega
anular	un pedido
adjuntar	un importe
	una factura

10 **A.** ¿Sabes cómo se llaman estos documentos? ¿En qué orden se utilizan en una operación comercial?

Albarán

Hoja de pedido

Factura

1.

CIBERJUEGOS S.A.

CLIENTE:
DIRECCIÓN:
TELÉFONO:
Nº DE CIF:
Nº de pedido:
Fecha:

MODELO	REFERENCIA	CANTIDAD	PRECIO UNITARIO	PRECIO TOTAL
			Euros	
			Euros	
			TOTAL	
			Dto. acordado:	
			IVA 12%	
			IMPORTE TOTAL	

Importe para facturar :
Forma de pago :
Plazo de entrega :
Envío :

2.

CONSTRUCCIONES Y MONTAJES
Paseo del faro, 27
20280 FUENTERRABIA   Nº :

Zaragoza, 24 de abril

RESTAURANTE GOURMET

Les remitimos los siguientes géneros por medio de:

MODELO	REFERENCIA	CANTIDAD	PRECIO UNITARIO	PRECIO TOTAL
			TOTAL	

Recibí conforme:
(Firma)

3.

SUMINISTROS FEDRA
Pl. Numancia, 33
26006 LOGROÑO

Logroño, 1 de septiembre de 2001

Nº
PAPELERÍA QUEVEDO,
DEBE
Por las siguientes mercancías remitidas por SUMINISTROS FEDRA
Pago a 60 días

CANTIDAD	CONCEPTO	PRECIO	IMPORTE	TOTAL	IVA 12%	TOTAL A PAGAR:

B. Explica cuándo se envía y para qué sirve cada uno de estos documentos.

Factura:
Hoja de pedido:
Albarán:

11 **A.** Lee la carta que ha recibido la Directora de BANKTER y decide cuál es el motivo de la reclamación de la clienta.

Sra. Conejero
BANKTER
Marquina, 90
28023 MADRID

Distinguida Sra. Conejero:

El pasado 5 del corriente mes recibí la Tarjeta X1000 que ustedes me enviaron. Al día siguiente pasé por sus oficinas y se la entregué personalmente a uno de los empleados. Le expliqué que probablemente había un error puesto que, por una parte, no la había solicitado y, por otra, no la considero necesaria dado que ya tengo las dos que me ha ofrecido su entidad.

Imagine mi sorpresa cuando, ayer, al recibir mi extracto de cuenta, comprobé que se me había cargado el importe anual de la tarjeta X1000 en mi cuenta.

Deseo expresarle mi desacuerdo por este hecho que, seguramente, se debe a un error de algún empleado. Le agradecería que diera las instrucciones necesarias para resolver este problema cuanto antes.

En espera de sus prontas noticias, la saluda atentamente.

Sara Vela

☐ El empleado del banco no fue mu amable con la clienta.

☐ Le han cobrado en su cuenta una tarjeta que es gratuita.

☐ Ha devuelto una tarjeta que no pidió y le han cobrado el importe.

☐ No le han enviado una tarjeta qu había pedido.

☐ Ha recibido una tarjeta que no está a su nombre.

☐ Quiere solicitar la tarjeta X1000.

B. Escribe una carta de reclamación. Piensa en algo que te haya sucedido últimamente o utiliza una de estas ideas.

- Hace un mes que compraste un televisor y todavía no te lo han enviado.
- Has comprado unos discos por Internet y has pagado un recargo por envío urgente. Los has recibido al cabo de dos semanas.
- Compraste un móvil con una oferta de cuatro horas al mes de comunicación gratuita durante seis meses. Ahora has recibido una factura que te reclama el pago de esas llamadas.
- Hace dos semanas que esperas que vengan a instalarte el teléfono. Has llamado muchas veces a la compañía.

12 Escucha otra vez la conversación de la página 101 del *Libro del alumno*, toma notas, y completa la carta que Delia Ortega envía a Juan González confirmando los puntos acordados en la negociación.

ALMACENES SUPER
Plaza Arboleda, 4
28005 MADRID

SEDATEX
C/ Cisneros,
30007 MURCIA

Madrid, 26 de octubre de 2001

Estimado Sr. González:

Según la conversación mantenida en nuestras oficinas el pasado jueves, tengo el gusto de confirmarle por escrito los acuerdos a los que llegamos.

En primer lugar,

DELIA ORTEGA
Jefa de Compras

13 **A.** Lee la entrevista a Rosa Campos, directora del Departamento de Fusiones y Adquisiciones de Ramírez e Hijos. Según ella, ¿qué cualidades debe tener un buen negociador?

UN BUEN NEGOCIADOR

ENTREVISTA con Carmen Campos, directora del Departamento de Fusiones y Adquisiciones de Ramírez e Hijos.

Señora Campos, ¿por qué se da tanta importancia a la negociación en el mundo empresarial?
Porque existe una relación directa entre la habilidad para negociar y la obtención de beneficios a todos los niveles. Tenga en cuenta que se negocia con todo el mundo: con proveedores, con socios, con trabajadores y también con otras empresas para establecer acuerdos.

¿Cómo definiría entonces a un buen negociador?
Ante todo, tiene que ser un buen comunicador y debe tener una gran capacidad para escuchar. También es importante que conozca en profundidad tanto el tema objeto de la negociación, como las culturas de las personas con las que debe negociar. Esto último es vital entre personas de procedencias muy diferentes.

Existe, además, otro aspecto muy importante; hay que saber encontrar el equilibrio entre, por un lado, ser metódico y organizado en la línea de trabajo y por otro, saber improvisar, argumentar y convencer en una negociación.

¿Se puede aprender a negociar?
Es indudable que hay personas con más capacidad para negociar que otras, pero también es evidente que es una habilidad que puede ser aprendida con unas técnicas muy precisas.

¿Qué factores contribuyen al éxito de una negociación?
El factor clave es una buena preparación, no sólo de la estrategia, sino también sobre el tema y el equipo negociador. A ello hay que añadir una cierta dosis de originalidad para encontrar las opciones que puedan satisfacer al máximo los intereses de los que negocian.

¿Cuál es la principal dificultad en las negociaciones?
Yo creo que, básicamente, se reduce a la negativa a escuchar al contrario. Muchas veces se plantea la negociación como un puro enfrentamiento. Afortunadamente,

los negociadores no siempre se enfrentan, hay que pensar que a menudo es posible encontrar una solución conjunta a los problemas.

Y ahora, señora Campos, un tema polémico: ¿las mujeres negocian mejor que los hombres?
Se dice que las mujeres, en general, tienen una actitud muy receptiva y participativa y que, además, poseen una visión cooperativa y no son tan competitivas como los hombres. También se afirma que suelen ser "más flexibles" en sus acciones y que escuchan de una manera más "activa". Es decir, que no sólo escuchan atentamente al interlocutor, sino que le transmiten la sensación de que prestan atención a sus palabras.

Y usted, personalmente, ¿qué cree?
En el terreno laboral, no creo en un mundo de hombres y mujeres, sino en un mundo de profesionales. Una mujer con todas estas cualidades será una mejor negociadora si tiene delante a un hombre que no las tenga, y viceversa. Por eso, repito, yo no hablaría tanto de hombres y mujeres sino de buenos o malos profesionales.

B. Haz una lista con los factores que Rosa Campos considera importantes para que una negociación sea eficaz y subraya los que tú valoras más.

C. ¿Estás de acuerdo con la respuesta de la última pregunta de la entrevista? Coméntalo con tu compañero.

14 **A.** Escucha estas tres conversaciones. ¿Qué negocian en cada una de ellas? Escribe el número donde corresponda.

el precio		un descuento	
la calidad del producto		la fecha de pago	
el tipo de transporte		la fecha de entrega	

B. Escucha otra vez y completa los diálogos.

1

◇ ¿Cuatro semanas?¿Quiere decir, una semana antes de la vuelta al colegio de los niños?

★ Exactamente.

◇ Hablemos en serio, por favor... esto _____ .

★ Pero es que no podemos enviárselo antes... _____ nos piden una cantidad enorme...

◇ Pues, razón de más para hacer un esfuerzo.

★ Bueno, hablaré con el Departamento de Producción y _____ .

◇ Bien, pero me tiene que dar una respuesta hoy mismo.

★ De acuerdo, la llamo luego.

2

◇ Hemos visto el catálogo y la nueva colección nos gusta y queremos hacer un pedido.

★ Bien, ¿para cuándo lo necesitarían?

◇ En el plazo de entrega podemos ser muy flexibles, pero en las condiciones de pago,

_____ .

★ Nosotros lo tenemos ya establecido a 60 días...

◇ ¿Y no podrían hacer una excepción por esta vez? Nos convendría efectuar el pago a 90 días y no a 60...

★ Pues, francamente, es complicado...

◇ Es que tenemos problemas de tesorería, que vamos a solucionar muy pronto, pero...

★ Creo que podríamos llegar a un acuerdo si el transporte corre a su cargo.

◇ Mmm... Bueno, pues _____ ... El transporte lo pagamos nosotros.

★ De acuerdo. Entonces lo dejamos a 90 días.

◇ Perfecto.

3

◇ Me lo pone difícil, señora García... Bueno, mire, les haremos un descuento del 6% _____ nos paguen al contado.

★ ¿Sólo un 6 %? No. _____ . Si les pagamos al contado, el descuento tiene que ser del 8%.

◇ ¿El 8%...? Es mucho.

★ Señor Rodríguez, por favor, sea sincero, ¿cuántos clientes le pagan al contado?

◇ No muchos...

★ ¿No muchos? Yo diría que ninguno, y usted lo sabe... Un 8% es perfectamente razonable en estas condiciones...

◇ Bueno, señora García, pero sólo porque es usted una clienta de muchos años, ¿eh?

★ Bien, entonces _____ .

15 **A.** Escribe en el recuadro el nombre debajo de cada producto.

1

2

3

4

5

6

7

8

9

10

11

12

13

14

15

cava

vino

turrón

polvorones

mazapán

piña

melocotón en almíbar

paté

aceite

aceitunas rellenas

brandy

jamón

queso

marisco

pan

B. Escribe el nombre de los productos del apartado anterior en la casilla correspondiente.

Una botella de	Una caja de	Una lata de	Una barra de	Ø

C. ¿Qué productos se comen en tu país en Navidad o en otras fiestas importantes?

16 **A.** ¿Cuáles crees que son los objetivos de este curso de español? Numéralos según el orden de importancia que tengan para ti.

Memorizar reglas de gramática	◯
Saber cómo está constituida una empresa en España	◯
Aprender mucho vocabulario especializado	◯
Practicar intensamente la lectura y la escritura	◯
Aprender a hacer tareas profesionales en español	◯
Saber cuáles son las costumbres y el modo de trabajo en las empresas españolas	◯
Aprender cómo es el sistema financiero español	◯
Practicar la lengua oral más que la escrita	◯
Aprender a comunicarse con profesionales hispanohablantes	◯
Trabajar y aprender con los demás compañeros	◯

B. Compara tu lista con la de tu compañero. Luego, intentad poneros de acuerdo en vuestras prioridades.

C. Buscad a otros dos compañeros. En grupos de cuatro, comentad vuestras listas e intentad llegar a un nuevo acuerdo.

D. Explicad vuestras conclusiones al resto del grupo e intentad elaborar una lista definitiva con toda la clase.

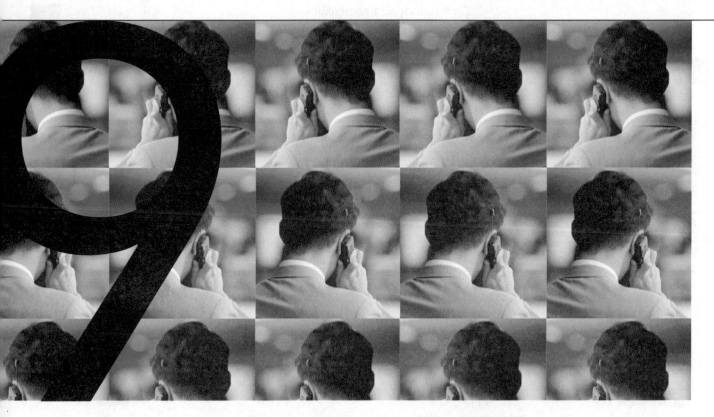

Estrategias de publicidad

Ejercicios

1 **A.** De todos estos soportes publicitarios, elige los tres que, en tu opinión, más impacto tienen.

una cuña de radio

un folleto

un anuncio de prensa

un anuncio de televisión

un banner

una carta comercial

una valla publicitaria

B. Prepara tus argumentos e intenta convencer a tu compañero.

 ✧ A mí me **parece** que el **soporte** que **tiene más impacto** es...

2 Relaciona las definiciones con las palabras correspondientes.

a. Es quien encarga y paga la publicidad.

b. Es el conjunto de personas que siguen un programa de radio o de televisión.

c. Es el grupo de población al que se dirige un anuncio o producto.

d. Es la empresa o entidad que aporta una cantidad de dinero para que su nombre aparezca en un acontecimiento cultural, deportivo, benéfico, etc.

e. Es una frase corta que resume el mensaje de una campaña publicitaria.

f. Es la persona que diseña la campaña publicitaria.

g. Es una estrategia de marketing que consiste en repartir folletos publicitarios a domicilio.

h. Es la persona que compra el producto.

1. Un anunciante

2. El consumidor

3. Un creativo

4. La audiencia

5. El público objetivo

6. El buzoneo

7. El eslogan

8. El patrocinador

3 A. ¿A qué tipo de campaña publicitaria crees que corresponden las siguientes descripciones de anuncios?

A. Campaña de publicidad comparativa
B. Campaña de solución a un problema
C. Campaña de impacto social
D. Campaña de actitudes
E. Campaña de intriga
F. Campaña de demostración

---

1. *Anuncio de televisión*

En una isla paradisíaca una señora tiene un ataque alcorazón en un restaurante de lujo. El camarero grita: "¿Algún médico en la sala?". El médico aparece de inmediato y recomienda trasladar al enfermo a un hospital. El camarero pregunta si hay un piloto en el restaurante y aparece un piloto con un hidroavión. El marido de la enferma comenta que no encuentra los pasaportes. El camarero busca un abogado o un diplomático. Hay diez personas que dicen ser o una cosa o la otra. Todos ayudan, menos uno que, sorprendido, mira la cuenta que le acaban de pasar y exige la presencia de un economista. La enferma, con un hilo de voz, dice que ella es economista y que puede ayudarle. Se oye una voz en off que informa al espectador que existe una página web donde se reúnen todos los profesionales. Esa página es...

---

2. *Anuncio de televisión*

Un chico está sentado en una parada de autobús. Está intentando hablar con su móvil pero no funciona (se le ha acabado la batería). Al lado hay una chica que lo observa. Silencio, pasan unos segundos. El chico mira a la chica. Silencio. La chica abre su bolso y saca un móvil. Con una sonrisa, se lo ofrece al chico. En la pantalla aparece un texto: "Móviles Inter para gente encantadora".

---

3. *Anuncio de televisión*

Se ven dos lavadoras cada una de ellas de una marca distinta. En la de la derecha se puede leer claramente la marca: FAVOR. En la parte superior de cada una de ellas hay una pecera. Segundos después, la pecera de la izquierda empieza a vibrar, lo que molesta tanto al pez que la habita, que decide dar un salto y pasar a la pecera de la lavadora que se anuncia. Una voz en off dice: "Las nuevas lavadoras FAVOR funcionan silenciosamente y sin vibraciones. Por eso, muchos las eligen."

---

4. *Cuña publicitaria*

Las facturas que usted no pide las pagamos todos. No se lo tome a broma: la factura es la garantía de que quien le ha realizado el servicio es un profesional serio, competente y legal. Una persona que le cobrará lo justo, ni más ni menos. Por todo esto y por su seguridad, la factura es la garantía de un trabajo bien hecho. Exija sus facturas. Es un consejo de la Agencia Tributaria.

---

5. *Anuncio de televisión*

Una chica abre un sobre de sopa instantánea, vierte su contenido en un plato, añade agua caliente, llena la cuchara de sopa y se la lleva a la boca. Mientras, en la pantalla, un reloj va contando los segundos hasta llegar a 20. Una voz en off dice: "En el tiempo que dura este anuncio, KNIR prepara una sopa."

B. Escribe la descripción de un anuncio que corresponda al único tipo de campaña de la lista que no se ha tratado.

4 Éstas son, según un grupo de especialistas, algunas de las ventajas que aporta la publicidad en Internet. Con tu compañero, haced una lista de los inconvenientes que creéis que puede tener este tipo de publicidad.

Permite segmentar al máximo el público al que te diriges. Al contratar un banner, se puede seleccionar la página, la hora y las zonas geográficas en las que interesa realizar al promoción. Además, una campaña mensual de banners cuesta menos que un solo anuncio en la televisión.

El público de la publicidad en Internet es activo. Es el propio usuario quien se dirige a la página web para encontrar información.

El anunciante tiene la oportunidad de conocer muy bien al cliente ya que, a través del correo electrónico o de encuestas, se puede consultar al usuario qué falta, qué le gusta y cómo hacerlo mejor. Esto permite ahorrar mucho dinero en estudios de mercados.

Se puede evaluar la eficacia de una campaña de manera continua ya que se conoce el número exacto de usuarios que han hecho *click* en un banner. Si el resultado no es el esperado, se puede cambiar al momento o eliminarlo.

5 Clasifica las siguientes expresiones de opinión según signifiquen acuerdo, desacuerdo o duda.

por supuesto	desde luego que sí	en absoluto	puede ser	no sé
no estoy tan seguro	yo también lo veo así	posiblemente	¡qué va!	
depende	estoy totalmente de acuerdo	por supuesto que no		no siempre
de ninguna manera	no sé, tal vez	no lo veo así	desde luego que no	

ACUERDO	DESACUERDO	DUDA

6 **A.** Olga y Daniel están hablando de la última campaña para prevenir accidentes de tráfico. ¿De quién es cada una de las opiniones?

Olga

¿Quién lo dice?
1. Las campañas de prevención de accidentes de tráfico deben ser agresivas.
2. Hay que utilizar el registro humorístico para llegar hasta el público.
3. Si los ciudadanos no ven imágenes muy impactantes, no prestan atención al mensaje.
4. Es mejor mostrar a la gente lo que pasa cuando no se lleva el cinturón de seguridad abrochado y hay un accidente.
5. Es horrible ver imágenes de accidentes reales.
6. Las imágenes de accidentes pueden producirnos horror, pero los daños causados por los accidentes son peores que nuestra reacción.

Daniel

B. Comenta con tu compañero si estás de acuerdo con Olga o con Daniel.

 ◇ Pues a mí me parece que...

C. En parejas. ¿Cómo creéis que debe ser una campaña para prevenir los accidentes de tráfico?

7 **A.** Observa este texto y completa el cuadro de la página siguiente.

DE: Sandra
PARA: Elena
Fecha: 21/10/01

PUBLIEXPRESS

Elena:
Aquí te dejo el anuncio que mañana sale para imprenta. Considero que queda bien y que ya hemos hecho suficientes modificaciones. ¿Puedes darme tu opinión? No me parece que los colores sean tan fríos como dice Pedro... ¿No crees que a veces es demasiado detallista?
Llámame a partir de las 11. Ahora tengo que salir.

Hasta luego,
Sandra

Cuando las expresiones **creo que**, **me parece que**, **considero que**, **pienso que** y **estoy seguro de que** aparecen en forma afirmativa, la frase siguiente lleva el verbo en <u>Indicativo</u>: "Considero que queda bien...". Sin embargo, cuando el verbo de opinión está en forma negativa, el verbo de la frase que le sigue va en _____ : "No me parece que los colores sean tan fríos...".
Pero, ¡cuidado! Si el verbo de opinión va al principio de una frase interrogativa, el verbo de la frase siguiente irá en _____ : "¿No crees que a veces es demasiado detallista?".

C. Ahora, completa la siguiente entrevista a un creativo de publicidad con los verbos de la lista en el tiempo adecuado. Algunos verbos puedes utilizarlos más de una vez.

mejorar	estar	existir	responder	poder
deber		constituir	difundir	ser

◇ David Roca, ¿no cree que la publicidad todavía (1)_____ absolutamente sexista y discriminatoria para la mujer?

★ Bueno, yo no creo que (2)_____ afirmar tal cosa...

◇ Sin embargo el Instituto de la Mujer considera que aún se (3)_____ la imagen de la mujer que combina mágicamente el ser objeto sexual con la limpieza doméstica.

★ Sí, ya sé que que el "Observatorio de la Publicidad" recibe denuncias por campañas sexistas y pienso que este tipo de campañas (4)_____ ponerse en evidencia para que no se repitan.

◇ Y ¿no le parece que 128 campañas denunciadas (5)_____ muchas campañas?

★ Si tenemos en cuenta el enorme volumen de publicidad existente, no me da la impresión de que (6)_____ hablar de una masa de campañas sexistas...

◇ Pero ningún medio de comunicación se libra de acusaciones. Recuerde que uno de los periódicos de mayor tirada hizo aparecer a una chica fantástica en portada como objeto que se pide a los Reyes Magos... ¿No opina que (7)_____ una prueba de sexismo absoluto?

★ A ver si matizamos un poco. Sí, creo que todavía (8)_____ actitudes sexistas por parte de ciertos anunciantes, pero no considero que (9)_____ la tendencia general. Estoy seguro de que actualmente la publicidad, como reflejo de una sociedad que ha cambiado mucho, (10)_____ muchísimo la imagen de la mujer en estos últimos años.

◇ Es usted muy optimista...

★ Soy realista. En mi opinión los anunciantes, en general, (11)_____ de forma positiva ante cualquier llamada de atención al respecto. Y por otra parte me da la impresión de que estas denuncias, (12)_____ dejando de ser "cosa de mujeres" porque cada vez más hombres, expresan su desacuerdo ante mensajes machistas o sexistas...

8 Una empresa dedicada a la fabricación de zapatos se reúne para decidir el futuro logotipo de una nueva marca de zapatillas deportivas para niños. Escribe un acta que refleje las opiniones de los participantes en la reunión. (Puedes usar como modelo el acta que aparece en la página 116 del *Libro del Alumno*.)

MANUEL VICENTE: "El 1 es demasiado sexista, es la imagen de un hombre, ¿y las mujeres qué? El 2 es más neutro y transmite el mensaje de velocidad. Pero el más adecuado es el 5, sin duda alguna. Es divertido y da la idea de comodidad que queremos reflejar".

ISABEL TORRENTE: "No entiendo cómo la agencia ha propuesto el 4: ¡Qué ridículo! Y el 6, otra tontería. El 3 me gusta, es gracioso y original...".

RICARDO OCHOA: "Este tipo de grafismo no corresponde a nuestra imagen. El público tiene una percepción más seria de nuestra marca. No me gusta ninguno".

LUISA FERNÁNDEZ: "Sería un desastre asociar estos dibujitos con nuestros productos. Esta agencia tiene mucha fama, pero no es la única en el mercado: hay que probar otra".

ESTRELLA PRADERA (Presidenta): "Hay opiniones demasiado dispares para poder adoptar uno de estos dibujos. Sí, es mejor proponer el proyecto a otra agencia rápidamente. Propongo una reunión dentro de 10 días ".

Presentes en la reunión:

Asunto:

9 **A.** Escribe cinco hipótesis sobre cómo crees que será la vida de tu compañero dentro de diez años. Después, coméntalo con él. Recuerda que si tu hipótesis es poco probable o muy original, el verbo irá en Subjuntivo.

es posible que
es probable que
posiblemente
probablemente
a lo mejor
seguramente
tal vez
puede ser que
quizá

B. Escucha las hipótesis de tu compañero sobre cómo será tu vida dentro de diez años y reacciona.

¿De verdad?
¿Eso crees?
No, no lo creo.

No, no creo
Sí, puede ser (que...)
Sí, es probable

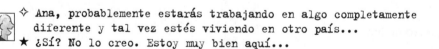
◇ Ana, probablemente estarás trabajando en algo completamente
   diferente y tal vez estés viviendo en otro país...
★ ¿Sí? No lo creo. Estoy muy bien aquí...

10 **A.** Escucha las melodías y sonidos que podrían servir como fondo sonoro de cuñas publicitarias. ¿Qué productos o servicios crees que podrían anunciar?

1. _____ 2. _____ 3. _____ 4. _____

◇ **En la primera, a lo mejor anuncian...**
★ **Sí, es posible...**

B. Escucha una cuña publicitaria y decide a cuál de los cuatro fragmentos anteriores pertenece.

C. Con tu compañero elabora una cuña publicitaria para el producto o servicio que decidáis con uno de los tres fragmentos sonoros restantes siguiendo este modelo.

TIEMPO	CONTROL	LOCUTORIO
00.00 00.04	Efecto truenos	**Locutora 1**: Silvia, ¿llevas el paraguas? **Locutora 2**: Sí, el que compré ayer en las rebajas. **Locutora 1**: Pues ábrelo, hija, que está empezando a llover.
00.10	Efecto lluvia	
00.14 00.22	Efecto truenos Efecto lluvia	**Loc 1**: Pero ¿qué pasa? **Loc 2**: Nada, ¡que se ha roto! ¡Ay, pero si es nuevo...! **Loc 1**: ¡Corre! ¡Que nos estamos empapando! **Loc 2**: ¡Pues vaya ganga que hemos comprado!
00.23		**Locutor 1**: Si no quieres mojarte bajo la lluvia, no confíes en un paraguas cualquiera. Paraguas Killy. Paraguas de calidad para ser feliz incluso bajo la lluvia.
00.33	Música: Alguien silba la melodía de "Cantando bajo la lluvia"	
00.39	Desaparece el efecto de lluvia poco a poco Final	

11 Comenta con tu compañero qué crees que pasa en las situaciones en las que alguien formula las siguientes preguntas. Puede haber varias soluciones.

1. ¿Quién será?

2. ¿Dónde habré puesto las llaves?

3. ¿Qué le habrá pasado?

4. ¿Qué le habrá dicho el médico?

5. ¿Qué estarán haciendo ahora?

6. ¿Dónde se habrá metido?

7. ¿Dónde lo habré dejado?

8. ¿Nos habremos equivocado de día?

 ✧ Alguien que está en casa y son las doce de la noche y...

12 ¿Qué dirías en las siguientes situaciones?

1. Has ido a recoger a alguien al aeropuerto. El vuelo ha llegado hace más de una hora pero la persona que esperas no está.

2. Un cliente está en la recepción hablando con el jefe del Departamento de Ventas. Está muy enfadado.

3. Ayer, cuando saliste de la oficina, tu ordenador funcionaba perfectamente. Hoy llegas y no funciona.

4. Un compañero de trabajo que normalmente está de mal humor, hoy está muy contento y de buen humor.

5. Vas en tu coche y ves a un amigo que hacía muchos años que no veías. Tu amigo está paseando con una mujer y con tres niños.

6. Sales de casa y cuando quieres mirar la hora no llevas puesto tu reloj.

7. Estás en un restaurante y hace más de media hora que esperas un plato.

8. El supermercado donde normalmente compras hoy está cerrado y no es un día festivo.

B. Clasifica en este cuadro los verbos que has escrito en el apartado anterior para expresar hipótesis.

Verbos que expresan hipótesis sobre algo que ya ha sucedido	Verbos que expresan hipótesis sobre algo que sucede en el presente

13 **A.** En parejas. Haced una lista con los productos o servicios cuya publicidad creéis que debería prohibirse.

B. Explicad al resto del grupo cuáles son vuestras conclusiones.

> ✧ Nosotros opinamos que deberían prohibirse todos los anuncios con abrigos y prendas confeccionados con pieles de animales.

14 **A.** En parejas. Pensad en los anuncios que están más de moda en este momento en vuestro país. Haced una lista de los tres que os parecen mejores.

B. En grupos. Poned en común vuestras listas y decidid, entre todos, cuál es el mejor anuncio.

15 **A.** Fíjate en estos cuatro anuncios. ¿Cuál te gusta más? ¿Por qué? Coméntalo con tu compañero.

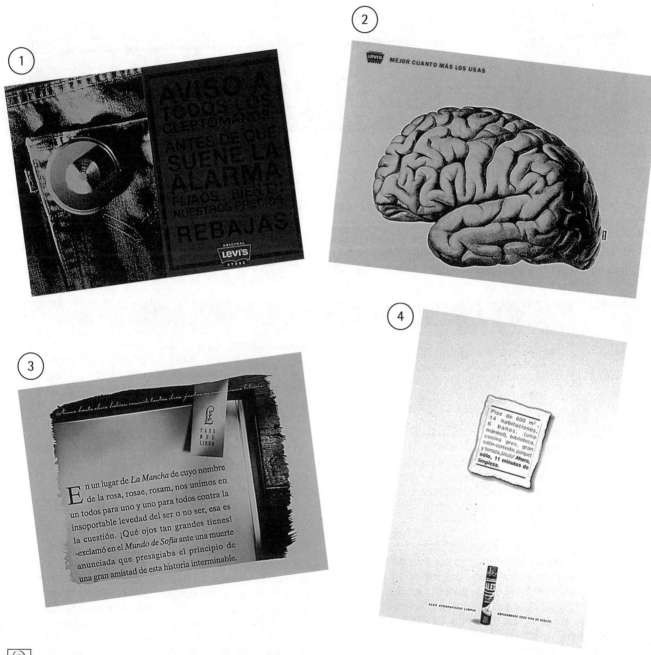

 ◇ Me gusta mucho el primero porque...

B. Escribe un pequeño texto explicando cuál es, según tu opinión, el público objetivo al que se dirige cada uno de ellos.

16 **A.** Aquí tienes fotografías de personas de diferentes edades. Piensa en un producto o servicio que puedan interesar a cada uno de estos tipos de consumidores.

1.

2.

3.

B. Comenta tus propuestas con tu compañero. Tenéis que poneros de acuerdo para elegir un producto o servicio para cada tipo de consumidor.

✧ Pues sí, estoy segura de que tu producto funcionaría bien porque...

17 **A.** Lee el siguiente reportaje y asocia los seis puntos de la lista que tienes en la página siguiente con el párrafo del texto que las definen.

LA PUBLICIDAD Y EL CONSUMIDOR

Un profesional de la publicidad siempre se pregunta: ¿Qué efecto podemos esperar que tenga la publicidad en el consumidor?
Hay muchos modos de dirigir la comunicación hacia el consumidor. Veamos algunos ejemplos:

1 En algunos casos el objetivo de la publicidad consiste en confirmar costumbres ya existentes del posible consumidor. Una marca de cava muestra en todas sus campañas publicitarias fiestas y celebraciones para, de esa forma, inducir al público a asociar, de manera automática, su bebida con la conmemoración de un acontecimiento feliz.

2 Hay veces en que el publicitario trata de cambiar o matizar creencias. Así, una distribuidora de azúcar, basó su campaña en difundir una idea positiva del azúcar para promover su consumo. Consiguió transformar la visión negativa que existía sobre este alimento como producto que engorda y que produce caries dentales en una positiva: el azúcar es un alimento que da energía.

3 Puede también suceder que el fabricante busque la confianza del consumidor en la marca. Éste es el caso de productos como el coche, los productos informáticos o los electrodomésticos. La publicidad intenta demostrar la fiabilidad, la seguridad y la calidad del producto.

4 Existen campañas que pretenden diferenciar un producto prometiendo unas propiedades que, en realidad, poseen todas las demás marcas de productos similares. Es el caso de un agua mineral que consiguió un gran éxito de ventas con el eslogan: "el agua sana".

5 En este mismo sentido se orienta la campaña de un detergente que garantiza que los colores de la ropa después del lavado se mantienen intactos. Aquí el objetivo de la campaña consiste en comunicar la ventaja principal del producto que lo diferencia del resto.

6 Por último, existen campañas, normalmente institucionales, que tienen el objetivo de proteger la salud y la vida. Si están bien hechas, pueden repercutir en el comportamiento del público. Una campaña de fuerte impacto fue la que se lanzó con el fin de intentar reducir los accidentes de coche mortales que se producen los fines de semana entre los jóvenes. La imagen del anuncio era la de un vaso, una botella que servía alcohol y un surtidor de gasolina que mezclaba el combustible en el mismo vaso. Esa combinación se transformaba en un jarrón donde se colocaban unas flores: el jarrón estaba en un cementerio.

OBJETIVOS DE LA PUBLICIDAD	PÁRRAFO
Crear confianza en la marca	
Consolidar hábitos	
Diferenciar la marca	
Cambiar las actitudes del consumidor	
Cambiar creencias	
Comunicar ventajas	

B. ¿A qué párrafo del texto anterior corresponden estos eslóganes?

A.
QUE NADIE TE AMARGUE LA VIDA

B.
HOY ES FIESTA CON CODERNIT

C.
SOMOS EL NÚMERO UNO

D.
TU COLOR NO ALTERA LOS COLORES

E.
EL AGUA SANA

F.
MEZCLAR ALCOHOL Y GASOLINA MATA

COMPRUEBA TUS CONOCIMIENTOS

1 Elige la opción más adecuada.

1. Es fundamental que los contenidos _____ muy claros.
   - ☐ a. están
   - ☐ b. estar
   - ☐ c. estén
   - ☐ d. estarán

2. Una página web tiene que estar bien estructurada _____ el internauta _____ navegar con facilidad.
   - ☐ a. para/puede
   - ☐ b. para que/pueda
   - ☐ c. para/pueda
   - ☐ d. para que/puede

3. Nuestro objetivo es que los clientes _____ a través de nuestra página y que, además, _____.
   - ☐ a. compran/vuelven
   - ☐ b. compren/vuelven
   - ☐ c. compran/vuelvan
   - ☐ d. compren/vuelvan

4. ✧ ¿Cómo se dice "@" en español?
   - ★ _____
   - ☐ a. Roba.
   - ☐ b. Adobe.
   - ☐ c. Arroba.
   - ☐ d. Borra.

5. EDINOR sólo _____ seis meses _____ en la red y ya ha obtenido beneficios significativos.
   - ☐ a. lleva/operando
   - ☐ b. está llevando/que opera
   - ☐ c. llevó/operando
   - ☐ d. lleva/que operó

6. Se han creado muchos puestos de trabajo _____ apareció el comercio electrónico.
   - ☐ a. desde
   - ☐ b. desde que
   - ☐ c. desde hace
   - ☐ d. desde el momento

7. ✧ ¿Y tú, por qué no quieres _____ a Internet?
   - ★ Pues porque no quiero que la red _____ todo mi tiempo libre.
   - ☐ a. que te conectes/ocupe
   - ☐ b. conectarse/ocupará
   - ☐ c. conectarte/ocupe
   - ☐ d. conectarte/ocupará

8. Te _____ a que visites nuestra sección de novedades en DVD.
   - ☐ a. proponemos
   - ☐ b. pedimos
   - ☐ c. sugerimos
   - ☐ d. invitamos

9. Tener éxito en la nueva economía es _____ fácil _____ se cree.
   - ☐ a. menos/de lo que
   - ☐ b. más/que
   - ☐ c. tan/de lo que
   - ☐ d. menos/que

10. Este icono tiene que estar _____ superior izquierdo.
    - ☐ a. en la parte
    - ☐ b. en el centro
    - ☐ c. en el margen
    - ☐ d. en la esquina

11. A la _____ de sus noticias, reciba un cordial salud
    - ☐ a. esperando
    - ☐ b. espero
    - ☐ c. espera
    - ☐ d. esperamos

12. ✧ ¿Te gusta el nuevo _____ de las cartas de DANAIR
    - ★ No, no me gusta nada el diseño.
    - ☐ a. saludo
    - ☐ b. membrete
    - ☐ c. asunto
    - ☐ d. destinatario

13. Le _____ que nos envíen sus condiciones de venta.
    - ☐ a. esperamos
    - ☐ b. complacemos
    - ☐ c. agradecemos
    - ☐ d. rogamos

14. Tenga _____ que somos una empresa pequeña...
    - ☐ a. en caso
    - ☐ b. en cuenta
    - ☐ c. en cuanto
    - ☐ d. en condiciones

15. ✧ ¿Pero, dónde está Sara?
    - ★ No sé, _____ un momento.
    - ☐ a. habrá salido
    - ☐ b. ha salido
    - ☐ c. saldrá
    - ☐ d. sale

16. Es _____ que este anuncio _____ a los jóvenes, pero a los adultos no.
    - ☐ a. posible/gusta
    - ☐ b. probable/les gusta
    - ☐ c. probable/guste
    - ☐ d. posible/les gusta

17. Yo _____ de que esta campaña va a tener mucho éxito.
    - ☐ a. me da la impresión
    - ☐ b. opino
    - ☐ c. estoy segura
    - ☐ d. considero

18. No _____ que las vallas _____ el soporte adecuado.
    - ☐ a. pienso/son
    - ☐ b. creo/sean
    - ☐ c. opino/son
    - ☐ d. me parece/sea

19. _____, con esta campaña, _____ atraer a un público más amplio.
    - ☐ a. Puede que/podemos
    - ☐ b. Seguro que/podamos
    - ☐ c. Es posible que/poden
    - ☐ d. A lo mejor/podemos

20. ✧ La publicidad engaña a los consumidores.
    - ★ No, _____.
    - ☐ a. yo no lo veo así
    - ☐ b. desde luego
    - ☐ c. estoy totalmente de a
    - ☐ d. por supuesto

Resultado: _____ de 20

2 Completa el texto con las palabras adecuadas.

EL TELÉFONO CONECTADO A LA RED

Hace unos años llegaba a España una compañía dispuesta a convertir el teléfono en un nuevo (1) _____. El invento consistía en que, al hacer una llamada, se tecleaba un prefijo y, antes de establecer contacto con el número deseado, se escuchaba (2) _____. A cambio, el usuario recibía una rebaja en su (3) _____ de teléfono. Sin embargo, aquello no prosperó.

Cuando ya estaba casi olvidado aquel intento, apareció el WAP (*Wireless Application Protocol*, es decir, Protocolo de Aplicaciones Inalámbricas), un dispositivo que permite el acceso a contenidos y servicios de Internet desde teléfonos móviles.

Sus defensores citan el caso de un equipo de hockey que hizo su campaña publicitaria a través del teléfono. Consistía en un (4) _____, algo parecido a (5) _____ de radio, que animaba a llamar para comprar o reservar entradas para los partidos. Según los responsables, el resultado de la campaña fue espectacular ya que el 15% de los usuarios llamaron para adquirir las entradas. Si aplicamos el principio de que una respuesta del 5% supone un buen resultado, la campaña fue más que un éxito.

Está claro que el WAP es un medio con muchas posibilidades de prosperar. Primero, porque el WAP y los servicios de (6) _____ que ofrece hacen de este instrumento una fuente excelente de conocimiento del (7) _____ y eso le convierte en un medio mucho más sofisticado que el teléfo-

no. Segundo, porque permite (8) _____ con más precisión la publicidad. Por ejemplo, con este sistema, en lugar de sufrir una campaña de (9) _____ en su domicilio, muchas veces inútil, un consumidor pasaría por delante de un supermercado y recibiría una llamada en su teléfono para informarle de las ofertas que en ese momento puede encontrar en el establecimiento.

No obstante, aún no está muy claro si las agencias publicitarias apostarán por esta publicidad y, lo más importante, si será bien o mal recibida por (10) _____ del WAP.

1. a. impacto
   b. público
   c. folleto
   d. medio publicitario

2. a. una valla
   b. un anuncio
   c. un servicio
   d. un patrocinador

3. a. factura
   b. pedido
   c. albarán
   d. nómina

4. a. producto
   b. mensaje
   c. objetivo
   d. proyecto

5. a. una estrategia
   b. una cuña
   c. un cartel
   d. un soporte

6. a. radio
   b. televisión
   c. Internet
   d. prensa

7. a. consumidor
   b. telespectador
   c. creativo
   d. anunciante

8. a. obtener
   b. alcanzar
   c. escuchar
   d. dirigir

9. a. intriga
   b. buzoneo
   c. impacto social
   d. solución a un problema

10. a. los publicitarios
    b. los patrocinadores
    c. los usuarios
    d. la audiencia

Resultado: _____ de 10

3 Escucha la conversación de Silvia y Ricardo y rellena el cuadro.

Problema:	
Motivo de la reunión:	
Propuesta de Silvia:	
Propuesta de Ricardo:	
Acuerdo al que han llegado:	

Resultado: _____ de 10

4 Escribe una carta a la ESCUELA MANRO (Avenida de Portugal, 231, 28012 MADRID) y pide información sobre los cursos de verano de español. Quieres estudiar en esta escuela durante un mes y te interesaría mucho saber si te pueden ofrecer alojamiento, cuáles son los horarios, los precios, etc.

Resultado: _____ de 10

TOTAL: _____ DE 50

Seguros

Ejercicios

1 Aquí tienes la aclaración de algunos conceptos que figuran en la descripción de los tipos de seguros de la página 125 del *Libro del alumno*. ¿Qué concepto se aclara en cada caso?

indemnización   defensa jurídica   seguro a terceros   inquilino

cobertura   fallecimiento   a todo riesgo

atención domiciliaria

1. Es cuando el médico va a casa del enfermo para visitarlo: <u>atención domiciliaria</u>

2. En caso de <u>fallecimiento</u> o invalidez absoluta, es decir, si alguien muere o no puede trabajar nunca más por razones de enfermedad.

3. <u>Seguro a terceros</u>, o lo que es lo mismo, con un seguro de coche de este tipo, en caso de accidente, el seguro no cubre los daños del vehículo del asegurado; cubre los daños sufridos por el otro coche implicado en el accidente.

4. La <u>Cobertura</u>, o sea, el conjunto de daños o accidentes que cubre una compañía de seguros.

5. Hay compañías de seguros que ofrecen un servicio de <u>defensa jurídica</u>. Eso es lo mismo que decir que la compañía proporciona, si es necesario, la ayuda de un abogado.

6. No importa si el asegurado es propietario de la casa o si es <u>inquilino</u>, es decir, si la casa es de su propiedad o es alquilada.

7. En caso de daños causados a terceras personas, este seguro garantiza su <u>indemnización</u>, en otras palabras, el seguro compensa económicamente a esas personas.

8. Con un seguro de coche <u>a todo riesgo</u> la compañía se hace cargo de todo. Por ejemplo, en un accidente entre dos coches, la compañía paga la reparación del coche del asegurado y del otro coche, los gastos médicos necesarios, los abogados... todo.

2 Lee los fragmentos de estas cuatro pólizas y decide a qué tipo de seguro corresponde cada una.

| Seguro de estudios 2 | Seguro de asistencia sanitaria 1 | Seguro de hogar 4 | Seguro de viaje 3 |

1 Proporciona el reembolso de todos los gastos por tratamiento médico-sanitario, libremente elegidos, tanto en asistencia hospitalaria, extrahospitalaria, consulta, etc., como consecuencia de todas las enfermedades o accidentes que se produzcan durante la vigencia del asegurado en la póliza.

2 En caso de enfermedad y/o accidente que obligue al asegurado a hacer reposo y permanecer en casa o en el hospital más de 15 días, el seguro le ofrece ayuda pedagógica con la asistencia de un profesor a domicilio que le permitirá no perder el ritmo del curso.

3 Garantiza al asegurado, a su cónyuge, ascendientes y descencientes de primer grado, que convivan en el mismo domicilio, las coberturas que a continuación se describen, siempre que se encuentren de viaje y como consecuencia de accidente o de enfermedad.

4 Este seguro excluye los incendios originados por culpa del asegurado así como los daños ocasionados por materiales destinados a ser utilizados como explosivos, o sustancias o aparatos que no sean de uso común en los hogares.

3 ¿Qué caso **no** cubre normalmente cada uno de estos seguros?

1. SEGURO DE HOGAR
- [ ] un robo en la vivienda habitual
- [ ] los daños producidos a un vecino por una inundación
- [x] la pérdida de las llaves

2. SEGURO DE VIAJE
- [ ] la pérdida del equipaje
- [ ] la hospitalización en caso de accidente
- [x] el desplazamiento desde el aeropuerto al hotel

3. SEGURO DE ASISTENCIA MÉDICA
- [x] las estancias en clínicas de adelgazamiento
- [ ] la rehabilitación después de un accidente
- [ ] la atención médica a domicilio

4. SEGURO DE RESPONSABILIDAD CIVIL
- [ ] los daños materiales o físicos causados por un error profesional
- [x] la pérdida de una cartera con documentación personal importante
- [ ] las heridas causadas a alguien por el perro del asegurado

5. SEGURO DE AUTOMÓVIL A TODO RIESGO
- [x] las multas de tráfico
- [ ] los daños que sufre el coche de la persona que tiene contratado el seguro
- [ ] los daños físicos sufridos por un acompañante

4 A. Éstas son algunas de las conversacions teléfonicas que ha mantenido la ayudante del gabinete de abogados Melero y Asociados. Completa los diálogos con las palabras que faltan.

quería	dígame	quiere que	está

◇ Buenas tardes, Melero y Asociados, (1) _____ .
★ ¡Hola, Alba! ¿(2) _____ mi hijo?
◇ No, ha salido. ¿ (3) _____ le diga algo?
★ No, nada, es que hoy es su cumpleaños. (4) _____ felicitarlo y decile que lo llamaré esta noche. ¡Ah! Que no se olvide de llamar a su hermano, que está muy preocupado por lo del seguro del coche...

deseo hablar con	soy	dígale que	si desea dejarle

◇ Melero y Asociados, dígame.
★ Buenas tardes, (1) _____ Mónica Ferrero, la abogada de Almacenes Modernos. (2) _____ el señor Melero...
◇ No está, (3) _____ algún recado...
★ Bien, llamaba para informarle sobre el resultado de la valoración de los daños del incendio en los Almacenes y para que me aclarara algunos datos de las indemnizaciones. Bueno, mejor (4) _____ no es urgente y que intentaré llamarle la próxima semana. Es que hoy salgo de viaje. Gracias...

dile que	le paso	está	le digo

◇ Melero y Asociados, dígame.
★ ¡Hola Alba! Soy Maite. ¿(1) _____ Simón?
◇ No, ¿(2) _____ algo?
★ Sí, (3) _____ me llame, por favor, enseguida, que me faltan los datos del incendio en los Almacenes Modernos. Necesito toda la documentación y no sé dónde está. Dile que me llame a este teléfono: 908 40 03 23, ¿lo has apuntado?
◇ De acuerdo. (4) _____ el mensaje.

llamaba para	lo siento	cuando pueda	dile

◇ Melero y Asociados, dígame.
★ ¡Hola, Alba! Soy Fina. ¿Está Simón?
◇ No, (1) _____ .
★ (2) _____ felicitarlo y, por favor, (3) _____ también que llamaba para invitarlos a él y a su mujer a cenar el sábado en mi casa. Que me diga algo (4) _____, por favor. Venga, gracias, Alba.
◇ De nada, hasta luego...

B. Escucha y comprueba tus respuestas.

5 Aquí tienes algunas fórmulas frecuentes en conversaciones telefónicas.
Léelas y agrúpalas bajo el epígrafe correcto.

1. Buenos días, ¿en qué puedo ayudarle?

2. ¿De parte de quién, por favor?

3. De acuerdo. En cuanto termine la reunión le paso el recado.

4. Buenas tardes. Le atiende Raquel Manzano.

5. ¿Podría repetir su nombre, por favor?

6. En estos momentos todas nuestras líneas están ocupadas.
   Rogamos llamen dentro de unos minutos.

7. Dígame su número de póliza, si es tan amable.

8. Muchas gracias por su llamada.

9. Departamento de Publicidad, dígame.

10. Perdón, ¿quién lo llama?

11. Gracias. Llamaré más tarde.

12. Por favor, no se retire; le pasamos con un operador.

Saludar/Presentarse

Despedirse

Identificar

Indicar espera

6 Las frases del recuadro de la izquierda pertenecen a un registro coloquial.
¿Puedes relacionarlas con las frases de la columna de la derecha, que tienen un
registro más formal?

1. Perdona, por favor..., ¿puedes hablar más despacio?
2. No oigo nada... por favor, habla más alto.
3. Ay, perdona, que llaman a la puerta. Te llamo dentro de cinco minutos.
4. ¿Me das tu dirección, por favor?
5. Ahora no puede ponerse. Está hablando por teléfono.
6. ¿El martes? Imposible... ¿qué tal el jueves?

A. Perdone... me resulta imposible entenderla; ¿podría hablar un poquito más alto, por favor?
B. Disculpe, por favor, ¿podría hablar un poco más despacio?
C. ¿Sería tan amable de darme su dirección?
D. Lo siento, pero tengo que colgar... Le llamo, si no le importa, dentro de cinco minutos.
E. Lo siento, pero el martes no puedo, ¿podría usted venir otro día... el jueves, por ejemplo?
F. Perdone, pero en este momento está ocupado y no puede atenderle.

7 Escucha los mensajes que hay en el contestador de Aurora Marquina y decide
qué nota los resume.

1
a) Han llamado de la agencia de viajes para confirmar una reserva. Quieren que les llames.
b) Han llamado de la agencia de viajes. No pueden confirmarte la reserva. Quieren comentarte un par de cosas.

2
a) Ha llamado Víctor Mateo, de Fincas Asociados. Quiere que le llames para enseñarte un piso. Su número es el 602903907.
b) Ha llamado Víctor Mateo, de Fincas Asociados. Dice que le gustaría ver el piso. Su número de móvil es el 602903907.

3
a) Ha llamado Tomás: necesita que le envíes la documentación.
b) Ha llamado Tomás: quiere que le llames para firmar el contrato.

4
a) Ha llamado Rosa. Dice que la llames después.
b) Ha llamado Rosa para darte las gracias por tu regalo.

5
a) Ha llamado Miguel para decirte que hay una reunión por la tarde.
b) Ha llamado Miguel para explicarte lo que ha pasado en la reunión.

6
a) Ha llamado tu marido para recordarte que tienes que recoger a los niños.
b) Ha llamado tu marido para recordarte que él recoge hoy a los niños.

8 **A.** Vas a leer un reportaje sobre un seguro contra catástrofes. Antes, habla con tu compañero e intentad elaborar una lista de posibles catástrofes.

 ✧ Yo diría que una catástrofe es, por ejemplo...

B. Lee ahora el texto y comprueba si las catástrofes que habéis escrito están recogidas en el seguro que explica el texto.

UN SEGURO CONTRA CATÁSTROFES

La cobertura de los riesgos extraordinarios que, normalmente, no cubren los seguros privados está resuelta en España gracias al Consorcio de Compensación de Seguros, entidad que forma parte del Ministerio de Economía. Este organismo se creó en 1941 con una intención muy clara: gestionar las indemnizaciones originadas por la Guerra Civil (1936 -1939). Más tarde, en 1954, y al comprobar su utilidad, sirvió también para atender otros desastres y adquirió carácter permanente.

El Consorcio tiene por objeto indemnizar los daños en las personas y en los bienes asegurados que se produzcan dentro del territorio español como consecuencia de fenómenos naturales de carácter extraordinario (lluvias torrenciales, desbordamientos de ríos, inundaciones, terremotos, sequías, desastres nucleares, etc.). Asimismo, contempla las indemnizaciones derivadas de actos de terrorismo, o de accidentes provocados por las Fuerzas Armadas y cuerpos de seguridad del Estado en tiempos de paz.

En caso de siniestro, los perjudica-dos deben comunicarlo, lo antes posible, a su aseguradora o al Consorcio. El asegurado hace una valoración aproximada de los daños y, posteriormente, y en la mayor brevedad posible, llega a la zona siniestrada un grupo de peritos para valorar los daños. Presentan un informe al Consorcio y éste decide la cantidad que se pagará en concepto de indemnización.

Un ejemplo: las pasadas lluvias torrenciales en Cataluña supusieron un total de 2000 reclamaciones de asegurados, de las cuales, alrededor de 600 fueron relativas a automóviles y el resto a la vivienda, al comercio o a la industria. La cuantía total de las indemnizaciones alcanzó los 21 millones de euros.

C. Lee otra vez el texto y contesta las preguntas.

1. ¿Qué es el Consorcio de Compensación de Seguros?

2. ¿Cuándo se creó y con qué fin?

3. ¿En qué casos puede actuar el Consorcio?

4. Según el texto, ¿qué hay que hacer en caso de siniestro?

9 Un amigo te ha pedido que pases por su casa para recoger el correo y escuchar los
mensajes del contestador automático. Toma nota para no olvidarlos y poder dárselos.

1

Jueves 20, 11.30

Ha llamado Pepe...

2

3

4

5

10 **A.** Lee esta publicidad de la empresa SOLUCIONES y complétala con la forma conjugada de los verbos que faltan. Algunos puedes usarlos más de una vez.

ofrecer   solucionar   cumplir

ser   indemnizar   estar

SOLUCIONES

Piense en lo que necesita y pídanoslo.
Seguro que podemos ofrecérselo.

A su coche le pide que _____ seguro.
A sus inversiones, que _____ rentables.
A su supermercado, que los alimentos _____ de calidad.
¿Y a una compañía de seguros? ¿Qué le pide?

MARQUE EN LA LISTA SUS PREFERENCIAS

Yo, a una compañía de seguros le pido...

que _____ abierta las 24 horas del día,

que _____ mis problemas con rapidez,

que me _____ un servicio personalizado,

que me _____ el 100% de los daños,

y que _____ lo que promete.

Y ahora que ya sabe lo que quiere, llámenos al 900 001 222. Seguro que podemos responder a sus necesidades porque cumplimos lo que prometemos.

B. ¿Por qué no escribes una publicidad para otro tipo de empresa utilizando el modelo anterior?

un restaurante
una agencia inmobiliaria
un hotel
una agencia de viajes
un banco

11 A. Observa cómo cambian los tiempos verbales en los siguientes pares de frases.

<table>
<tr><td>

1.
El agente de seguros: "El seguro no **cubre** la reparación de la lavadora".

El agente de seguros me dijo que el seguro no **cubría** la reparación de la lavadora.

</td><td>

3.
El perito: "No se preocupe; el viernes, sin falta, **recibirá** en su casa el informe de los daños".

El perito me aseguró que el viernes **recibiría** en mi casa el informe de los daños.

</td></tr>
<tr><td>

2.
El electricista: "La avería no **es** problema de la instalación eléctrica. Seguro".

El electricista me aseguró que la avería no **era** problema de la instalación eléctrica.

</td><td>

4.
Un empleado del Servicio Técnico: "Dentro de unos días **estará** arreglado".

Un empleado del Servicio Técnico me dijo que dentro de unos días **estaría** arreglado.

</td></tr>
</table>

B. Ahora, completa la regla con las palabras que faltan.

Cuando reclamamos y queremos dejar claro que reproducimos palabras literales que otras personas (nos) dijeron en algún momento del pasado, se producen algunos cambios en los tiempos verbales. Así, el Presente de Indicativo se transforma en _____; por ejemplo: "el electricista me aseguró que la avería no **era** problema de la instalación eléctrica. Y el Futuro pasa a ser _____; por ejemplo: "el perito me aseguró que el viernes **recibiría** el informe de los daños.

C. Lee los diálogos e intenta reproducir qué se dijo exactamente.

1. En el banco me aseguraron que comprobarían que toda la documentación estaba en regla.
En el banco: "_____".

2. Resulta que ayer Luis me dijo que lo encontraría en la oficina a las diez, y llevo dos horas llamándole y nadie contesta.
Luis: "_____".

3. Me aseguró que el miércoles tendría el armario en mi casa y hoy estamos a sábado, y el armario todavía no está aquí.
El empleado de la tienda: "_____".

4. Hace quince días les envié una carta reclamándoles el pago de la última factura y uno de sus empleados me llamó por teléfono y me dijo que el dinero ya estaba en el banco, y resulta que no está.
El empleado: "_____".

5. El recepcionista del hotel me dijo ayer que hoy me cambiarían de habitación y todavía no me han dicho nada.
El recepcionista del hotel: "_____".

6. Cuando contratamos el viaje nos garantizaron que el hotel estaba en el centro y resulta que está a diez kilómetros de la ciudad.
El empleado de la agencia de viajes: "_____".

12 En parejas. Elegid cada uno dos de estas noticias y comentadlas.

1

Las mujeres directivas son más sensibles a las necesidades de formación de sus empleados, según el informe de la Asociación Española de Mujeres Empresarias presentado ayer. Mientras que en el 50 por ciento de las empresas con mujeres en los puestos directivos existen programas formativos, tan sólo un 15 por ciento de las dirigidas por hombres tienen algún curso de formación. En las empresas en las que los puestos de dirección están ocupados por mujeres, el porcentaje medio de participación de los empleados es superior en unos tres puntos al de las empresas dirigidas por hombres. El estudio indica, asimismo, que el índice de empresas que fracasan es menor en el colectivo de mujeres que en el de hombres.

2

La pregunta "¿dónde se habla mejor español?" no tiene sentido alguno: en español hay una norma culta general (representada por la Real Academia Española y por las academias de América) que hace que los naturales de Jalisco (México), Bogotá (Colombia) o Zaragoza (España) se puedan entender a la perfección. Por otra parte, ninguna lengua (ni el español, ni el francés, ni el inglés, etc.) forma un todo uniforme: no hablamos igual en familia que entre compañeros, en la oficina con nuestro jefe o en el juzgado delante del juez. Es decir, no hay un único español, y lo más importante, no hay un español mejor que otro.

3

"El futuro económico de California, estado con una potencia suficiente para ser la sexta economía mundial con un PIB de, aproximadamente, un billón y medio de euros (el de España es la mitad), corre peligro como consecuencia de la crisis del sector eléctrico. Según los técnicos, serán necesarios como mínimo cinco años para que la situación de crisis se solucione. Sin embargo, esos plazos significan una eternidad en California, un estado que consume 250 gigavatios anuales, casi el doble que España y que necesita cada vez más energía para satisfacer la demanda de su industria informática".

4

La música ambiental, el color o la aglomeración influyen directamente en el comportamiento del consumidor. Conscientes de esta influencia, muchos establecimientos cuidan estos elementos con el fin de incentivar la compra. Se ha comprobado, por ejemplo, que con una música lenta o clásica, el consumidor se relaja, su permanencia en el establecimiento se alarga y, por lo tanto, compra más productos. Por el contrario, una música rápida hace que el cliente haga sus compras con mayor rapidez.

 ◇ **Fíjate, aquí pone que las mujeres que ocupan cargos directivos se preocupan más de la formación que...**

13 A. Relaciona estos frases con su intención. Puede haber más de una posibilidad.

1. ¿Quieres un café?
2. Yo le compraría un CD.
3. Si no lo he entendido mal, ¿dice que van a devolverme todo el dinero?
4. Envíame cuando puedas los datos del mes pasado.
5. Resulta que mi vecino tiene un problema en el cuarto de baño y...
6. ¿Y si le compramos una planta para su cumpleaños?
7. No te olvides de firmar todos los contratos.
8. Insisto en que no se preocupe; se lo arreglaremos esta misma tarde.

a. aconsejar
b. invitar
c. asegurar
d. aclarar
e. pedir
f. explicar
g. proponer
h. recordar

B. Piensa en familiares, amigos, compañeros de trabajo o de clase. Elije tres de ellos y escríbeles una nota a cada uno. Puedes...

- explicarles algo	- invitarlos a hacer algo	- avisarlos de algo
- pedirles algo	(a cenar un día, a ir a un	- informarlos de algo
- proponerles algo	concierto, etc.)	- recordarles algo

14 Lee el diálogo entre esta pareja e intenta reconstruir el correo electrónico sobre el que hablan.

◇ Pues ayer recibí un e-mail de Ángela... Hacía meses que no sabía nada de ella...

★ ¿Y qué cuenta?

◇ Pues nada, que anda muy liada con el trabajo en las dos empresas, que tiene muchas ganas de venir a Barcelona a pasar unos días... Por cierto, ¿sabes si hay algún hotel cerca de casa que no sea muy caro? Porque me dice que a lo mejor puede venir en Semana Santa...

★ ¿Y por qué no se queda en casa con nosotros?

◇ Pues porque resulta que quiere venir con tres amigos... y en casa no tenemos sitio para todos.

★ Ahora mismo, no sé, tendríamos que preguntar los precios pero, por aquí los hoteles serán caros... ¿Y qué más te dice?

◇ Me cuenta que está cansada, y que le gustaría dejar el Departamento de Planificación y dedicarse sólo a la dirección financiera... Ah, y que ha conocido a un chico que dice que es fantástico... Me dice que va a ir a casa de los padres de él a pasar las Navidades...

★ O sea, que parece que la cosa va en serio...

◇ Sí, eso parece... Y está muy contenta.

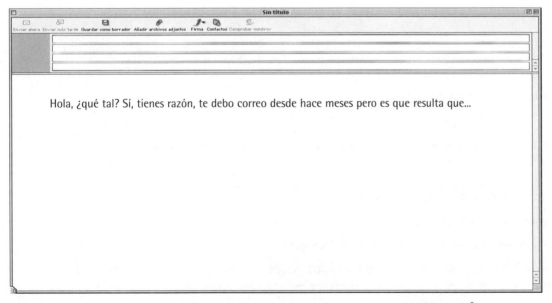

15 A. En estas definiciones de términos relacionados con los seguros hay cuatro que no son correctas. ¿Cuáles? ¿Puedes corregirlas?

1. Un siniestro es un daño (accidente, robo, avería, etc.) de mayor o menor gravedad que puede sufrir un asegurado.

◯ Sí   ◯ No

2. La indemnización es el dinero que la compañía de seguros paga al asegurado cuando se produce un siniestro.

◯ Sí   ◯ No

3. La póliza es el precio del seguro contratado.

◯ Sí   ◯ No

4. La prima de un seguro es el documento que contiene las condiciones del seguro.

◯ Sí   ◯ No

5. El asegurado es la persona que está protegida por la compañía de seguros.

◯ Sí   ◯ No

6. El perito es la entidad encargada del pago de los daños ocasionados por un siniestro.

◯ Sí   ◯ No

7. El asegurador es el experto de la compañía de seguros que evalúa los daños materiales sufridos por un asegurado.

◯ Sí   ◯ No

8. El beneficiario de un seguro es la persona que cobra la indemnización en caso de siniestro.

◯ Sí   ◯ No

B. Comprueba tus respuestas con las de tu compañero.

16 A. Estas frases están relacionadas con los seguros. ¿Tienen sentido? ¿Qué palabra cambiarías en cada frase?

1. Cuantos más riesgos tienes, menos pagas por un seguro.

2. Cuantos menos seguros tiene una persona, mejor.

3. Cuanta más cobertura ofrezca una póliza, menos siniestros cubrirá.

4. Cuanto más pague el asegurado, menor será la indemnización que recibirá en caso de siniestro.

B. ¿Cuántas frases como las del apartado anterior puedes escribir relacionando los siguientes conceptos con lo que paga alguien por un seguro de automóvil?

- La experiencia del conductor

- La antigüedad del coche

- El número de accidentes

- La edad del asegurado

- La salud de una persona

17 Completa los diálogos.

nada
algo
algún/o/a/os/as
alguno/a/os/as de
ningún/a
ninguno/a/os/as de
cualquier
cualquiera de

1.
✧ ¿Y no tienes un seguro para el piso?
★ No, no tengo _____ pero creo que voy a contratar uno muy pronto.

2.
✧ Si necesita más información puede dirigirse a _____ de nuestras oficinas...
★ Muchas gracias.

3.
✧ Y, si en caso de inundación, tengo que marcharme de casa para que me arreglen _____ , ¿me pagan ustedes un hotel?
★ Llegado el caso tendríamos que ver de qué se trata... Yo diría que _____ seguro de hogar paga la estancia en un hotel a un asegurado. Al menos nuestra compañía no cubre esos casos.

4.
✧ He estado mirando las condiciones de los dos seguros, pero no sé por cuál decidirme...
★ Yo creo que _____ de los dos. Los dos pueden ser buenos.

5.
✧ ¿En las condiciones del seguro de la casa dice _____ sobre daños causados por los inquilinos?
★ No, sobre ese tema no dice _____ .

6.
✧ Sobre accidentes ocurridos a animales de compañía, la póliza no dice _____ y en _____ caso, te pagan dinero porque no está recogido en las condiciones generales.
★ Pues eso no es lo que me dijeron.

7.
✧ ¿Sabes _____ de la señora Millán? ¿Tienes _____ noticia?
★ No, no ha llamado y no sé _____... ¿Qué vamos a hacer al final: cambiamos de compañía?

8.
✧ Yo no firmo _____ papel hasta que todas las condiciones estén claras...
★ Sí, pero es que podemos tener un accidente y no tenemos _____ seguro que nos cubra.

Presentaciones y conferencias

Ejercicios

1. Vocabulario: material de apoyo en presentaciones

2. Describir objetos: pronombres relativos con preposición

3. **Quedarse en blanco/sin algo/corto de..., hacer de más, tener cuidado con...**

4. Hablar de experiencias personales

5. Fases de una presentación: preparación, práctica y presentación

6. Recursos en una conferencia o presentación

7. Recursos para hablar en público: formar frases

8. En una presentación

9. Valorar una presentación

10. Diferencia entre oraciones de relativo explicativas y especificativas

11. Contraste Indicativo/Subjuntivo en frases relativas

12. **No conozco a nadie que...**

13. Uso del Indicativo o del Subjuntivo en frases relativas

14. Indicativo o Subjuntivo

15. Frases relativas con Subjuntivo: **buscar o necesitar**

16. **Qué/cuál**

17. Información sobre empresas

1 Éstas son las principales características y ventajas de algunos de los materiales de apoyo más frecuentes en las presentaciones. ¿De qué materiales se habla en cada caso?

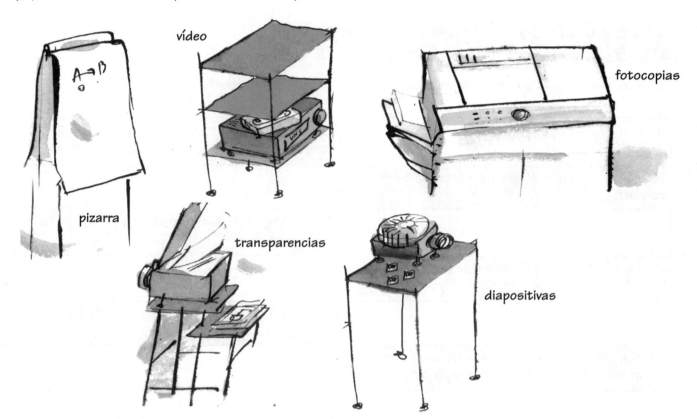

vídeo

fotocopias

pizarra

transparencias

diapositivas

CARACTERÍSTICAS Y VENTAJAS	MATERIAL DE APOYO
1. Se utiliza para anotar ideas, palabras o resúmenes. Su principal ventaja es que es muy fácil de usar; además, resulta un medio muy económico.	
2. Se puede escribir sobre ellas, se pueden superponer unas encima de otras, permiten ocultar parte del texto, etc.	
3. Es un medio de gran impacto porque las imágenes y el sonido dan más dinamismo a la presentación y captan rápidamente la atención y el interés de los asistentes.	
4. Es el un medio más adecuado para exposiciones o presentaciones sobre arte o sobre aspectos científicos y técnicos. Además, son una alternativa a las fotografías cuando el orador necesita ofrecer detalles en su presentación o exposición.	
5. Es el material empleado con más frecuencia. Muchos asistentes esperan recibirlas y lo más aconsejable es repartirlas antes de comenzar.	

2 **A.** Podemos describir objetos utilizando estructuras muy diferentes. Fíjate en estas dos frases:

> Una fotocopiadora es una máquina que sirve para hacer fotocopias.
> Una fotocopiadora es una máquina **con la** que se hacen fotocopias.

Completa ahora el cuadro escribiendo las frases que faltan.

1.	Un retroproyector es una máquina **con la** que se proyectan transparencias.
Un altavoz es un aparato que sirve para ampliar el volumen.	2.
3.	Una agenda es un objeto **en el** que se anotan citas y reuniones.
Una calculadora es un aparato que sirve para realizar operaciones matemáticas.	4.
5.	Una tiza es un objeto **con el** que se escribe sobre una pizarra.
Un micrófono es un objeto que sirve para aumentar el volumen de voz de una persona cuando habla en público.	6.

B. Elige ahora cuatro de estos objetos y descríbelos utilizando el pronombre **que** con la preposición adecuada.

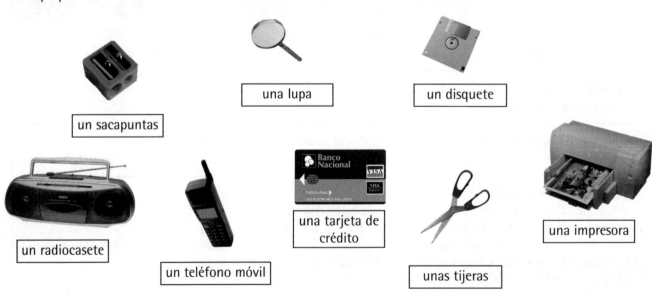

un sacapuntas

una lupa

un disquete

un radiocasete

un teléfono móvil

una tarjeta de crédito

unas tijeras

una impresora

3 **A.** ¿Qué preposición necesitan estos verbos? Puedes consultar el texto de la página 141 del *Libro de alumno*.

1. Tener cuidado _____ algo
2. Quedarse corto _____ tiempo
3. Hacer (fotocopias) ___ más
4. Quedarse _____ algo (fotocopias, trabajo, etc.)

5. Quedarse _____ blanco
6. Estar ___ pie
7. Acordarse _____ algo
8. Apoyarse _____ algo

B. Ahora, decide qué expresión se ajusta más a cada situación.

1. Me da la impresión de que no tienes demasiado material, y la presentación dura, más o menos, una hora... Puedes_____.
a. acordarte del material
b. quedarte corto de material
c. tener cuidado con el material

2. A veces, es mejor estar sentado que _____. Te pones menos nervioso.
a. apoyarse en algo
b. estar de pie
c. quedarse corto

3. No sé... Manuela normalmente se pone muy nerviosa y, en un examen oral, de repente, se olvida de algo y puede_____.
a. tener cuidado
b. quedarse en blanco
c. quedarse corta

4. Creo que los enchufes de la sala grande no funcionan muy bien, así que cuando enchufes el retroproyector_____ con los cables.
a. haz de más
b. ten cuidado
c. quédate corto

5. El conferenciante empezó a hablar, no se acordó de hacer una pequeña pausa y la gente_____.
a. se quedó corta
b. se quedó en blanco
c. se quedó sin café

6. ✧ ¿Por qué no has repartido las fotocopias ?
★ Porque me he puesto muy nerviosa y no _____ entregarlas.
a. me he quedado sin
b. me he acordado de
c. he tenido cuidado con

4 ¿Te han pasado alguna vez estas cosas? Coméntalo con tu compañero.

- quedarte en blanco (en una entrevista, en un examen, en una presentación en clase...)
- quedarte corto/a (de tiempo, de dinero...)
- ponerte nervioso/a
- quedarte sin algo (sin vacaciones, sin trabajo, sin regalos de cumpleaños, etc.)
- hacer algo de más (fotocopias, comida, invitaciones...)

◇ ¿Te has quedado alguna vez en blanco?
★ Pues... ahora mismo, no me acuerdo... ¿Y tú?
◇ Yo sí, una vez...

5 Un CD-Rom con asistente para preparar presentaciones ofrece a los usuarios algunas instrucciones secuenciadas en tres fases.

A. Preparación
B. Práctica
C. Presentación

Lee ahora estas instrucciones, decide a qué fase corresponden y coméntalo con tu compañero.

[ ] 1. Desarrolle la presentación ante otra persona o ensaye delante de una cámara de vídeo.

[ ] 2. Piense en una introducción que capte la atención de la audiencia, para ello, puede plantear alguna pregunta relacionada con las necesidades del público.

[ ] 3. Valore su mensaje, imagínese teniendo éxito y automotívese.

[ ] 4. Defina el propósito de la charla en función de los resultados que espera de la audiencia (informar, convencer, vender, enseñar, formar o motivar para la acción).

[ ] 5. Implique a la audiencia.

[ ] 6. Organice todo el material de apoyo necesario para respaldar los puntos más importantes.

[ ] 7. Hable de "nosotros" y no de "yo"; sea sincero y sea usted mismo.

[ ] 8. Calcule el tiempo que va a necesitar y en qué momento, si es necesario, hará una pausa.

[ ] 9. Procure mantener la atención de la audiencia: suele dar muy buenos recultados. Hable con claridad, mantenga un tono animado, muestre entusiasmo y cuente alguna anécdota.

[ ] 10. Céntrese en lo fundamental.

[ ] 11. Intente estar relajado y establecer contacto visual con el público.

[ ] 12. Piense bien en cómo va a terminar. Un resumen convincente puede ser una magnífica solución.

6 A. Aquí tienes los fragmentos que has escuchado en la actividad de la página 142 del *Libro del alumno*. Complétalos con las palabras y frases del recuadro.

✓ En resumen, y para terminar,   ✓ Y como pueden ustedes ver

✓ Antes de empezar, quisiera dar las gracias   ✓ no puedo contestarle en este momento

✓ si quieren alguna aclaración más detallada   ✓ a quien tengo el gusto de presentarles

✓ no sé si entiendo muy bien

1. Buenos días a todos. Antes de empezar, quisiera *dar las gracias* al profesor Ferrer, del Departamento de Semántica, por todo su apoyo. Sus sugerencias y sus comentarios han sido claves...

2. Para evitar cansarles con una lluvia de datos, he preparado unas fotocopias que encontrarán en las carpetas que tienen encima de las mesas. Comentaré brevemente los datos y *si quieren alguna aclaración más detallada,* estaré encantada de dársela al final. Como todos ustedes saben...

3. Buenos días y bienvenidos a esta ponencia sobre la transformación y la diversificación de la oferta turística en nuestro país. Hoy tenemos con nosotros a Amaya Velasco, Consejera de Turismo de la Comunidad Autónoma de Cantabria, *a quien tengo el gusto de presentarles* La señora Velasco...

4. ★ A ver, *no sé si entiendo muy bien* lo que usted me quiere preguntar. Usted quiere saber exactamente qué ofrecemos nosotros que no ofrezcan otros...
   ◇ Sí, eso mismo.
   ★ Es muy sencillo. Nosotros...

5. Creo que *no puedo contestarle en este momento.* Tendría que consultar los datos, y no los tengo aquí ahora mismo. Lo siento.

6. *En resumen, y para terminar,* CiberNet, la revista que hoy presentamos, quiere hacer llegar a todo el mundo las últimas noticias que produce el universo de las nuevas tecnologías, para que, en definitiva, todos podamos vivir mejor. Muchas gracias.

7. *Y como pueden ustedes ver* en estos gráficos... Perdón, no pueden ver nada porque el retroproyector no está encendido... Un momento... ¿Ya?...

7 Forma frases uniendo elementos de las dos columnas.

B F I C G H D A J E

1. Me imagino que todos ustedes...
2. No quiero terminar sin dar...
3. No sé si he entendido bien
4. En el dossier de fotocopias que les hemos repartido...
5. Fíjense ustedes...
6. Antes de empezar quisiera...
7. Y ahora, me gustaría hacerles...
8. Lo siento, pero me temo...
9. Y por mi parte,...
10. Supongo que usted quiere...

a. que no tengo los datos exactos en este momento.
b. han oído hablar del tema que hoy nos ocupa.
c. tienen ustedes el programa del curso.
d. a todos ustedes una pregunta.
e. saber exactamente cuál es nuestra posición...
f. las gracias a la Fundación Empresa por su colaboración en nuestro proyecto.
g. en estos gráficos. En ellos puede verse claramente...
h. pedirles disculpas por los problemas técnicos que ha habido...
i. lo que ha comentado sobre las fusiones empresariales.
j. esto ha sido todo. Muchas gracias.

8 **A.** Imagina que estás ofreciendo una presentación y te encuentras en las siguientes situaciones: ¿qué dirías? Coméntalo con tu compañero.

- no tienes fotocopias para todos los asistentes
- no sabes si todo el mundo te oye bien
- termina el tiempo y no has podido explicar todo lo que tú querías.
- no entiendes bien una pregunta del público

◇ En el primer caso, si no tengo fotocopias para todos los asistentes, creo que diría: "Lo siento pero..."

9 ¿Has estado en alguna presentación, en alguna conferencia o en alguna clase que recuerdes por algo en especial? ¿Cómo fue? Coméntalo con tu compañero. Puedes elegir un elemento de cada casilla.

- el conferenciante - la exposición - la presentación - la clase - el tema - la persona que hizo la presentación - el profesor	- fue muy claro/a - se puso muy nervioso/a - contó muchas anécdotas - tenía mucho sentido del humor - era difícil - lo explicó todo con mucha claridad	- fue muy ordenado/a - fue muy divertido/a - fue muy pesado/a - fue muy largo/a/corto/a - fue muy entretenido/a - fue interesante y muy útil.	- se oía fatal/muy bien - nadie entendió nada - el público hizo muchas preguntas al final - había mucha gente - no hubo fotocopias para todo el mundo

 ◇ Hace dos semanas estuve en una conferencia sobre... La conferenciante se puso muy nerviosa, el tema...

10 A. Lee estas dos frases y contesta a las preguntas.

1. El público, que planteó muchas preguntas al conferenciante, salió muy satisfecho.

2. Antes de empezar, el conferenciante pidió perdón a las personas que no tenían asiento.

1. En la primera frase, si suprimimos "que planteó muchas preguntas al conferenciante", ¿la frase tiene sentido?

☐ Sí   ☐ No

2. En la segunda frase, si suprimimos "que no tenían asiento", ¿la frase tiene sentido?

☐ Sí   ☐ No

B. Ahora, lee la explicación y después completa el resumen con las palabras que te proponemos.

En la primera frase "que planteó muchas preguntas al conferenciante" es una **oración de relativo explicativa**, es decir, explica algo sobre el público, añade información. Esta oración de relativo podría suprimirse y la frase continuaría teniendo sentido: "El público salió muy satisfecho". Este tipo de oraciones de relativo siempre van entre pausas (entre comas o entre coma y punto).

En la segunda frase "que no tenían asiento" es una **oración de relativo especificativa**, es decir, especifica a qué tipo de personas pidió perdón el conferenciante: sólo a aquellas personas que no tenían asiento. Si la oración de relativo especificativa se elimina, la frase pierde su sentido: "El conferenciante pidió perdón a las personas". Este tipo de oraciones nunca va entre comas.

explicativas   especificativas   sentido

esencial   dos

Las oraciones de relativo pueden ser de _____ tipos:
a. _____, siempre van entre comas y no aportan información _____.
b. _____, nunca van entre comas y aportan información _____. Por eso, si se suprimen, la frase pierde o cambia su _____.

11 **A.** Lee estas cuatro frases. En todas aparece el mismo verbo, ¿cuál? ¿Sabes por qué en algunos casos ese verbo está en Indicativo y en otros en Subjuntivo?

1. Hay muchas empresas que no ofrecen ese servicio.

2. Necesitamos una empresa que ofrezca ese servicio.

3. ¿Hay alguna empresa que ofrezca ese servicio?

4. No hay ninguna empresa que ofrezca ese servicio.

B. Lee ahora la explicación que te ofrecemos de cada una de las frases anteriores.
¿A qué frase corresponde cada explicación?

☐ Preguntan por la existencia de un tipo de empresas que no sabe si existe o no.

☐ Quieren una empresa con unas características y no saben si existe o no.

☐ Se refieren a empresas que existen, a empresas concretas que, precisamente, no ofrecen "ese servicio".

☐ Afirman que no existe ninguna empresa de ese tipo.

C. Completa ahora la explicación sobre el contraste Indicativo/Subjuntivo en las frases relativas.

Cuando hablamos de cosas o personas concretas, que existen y que sabemos cómo son, utilizamos el verbo en el modo _____ .

Cuando hablamos de cosas o personas no concretas, que no existen o que no sabemos si existen, o que son hipotéticas, utilizamos el verbo de las frases relativas en el modo _____ .

12 **A.** Vas a escuchar una serie de preguntas. Escucha y responde.

	SÍ	NO
1. hablar chino		
2. vivir en un hotel		
3. trabajar los fines de semana		
4. tener más de cinco hermanos		
5. hacer deporte todos los días		
6. cantar bien		
7. saber bailar el tango		
8. estudiar medicina		

B. Escribe frases a partir de tus respuestas.

No conozco a nadie que hable chino.
Tengo un amigo que habla chino.

13 Elige el verbo correcto para estas frases.

1. Las personas que *desean* / *deseen* asistir a la conferencia tendrán que apuntarse en una lista ya que la sala sólo tiene capacidad para 100 personas.

2. ¿Conoces alguna empresa que *arregla* / *arregle* ordenadores y que no *es* / *sea* muy cara?

3. Yo creo que no hay mucha gente que *está* / *esté* dispuesta a venir a una conferencia a las nueve de la noche.

4. No he encontrado ningún tema que *es* / *sea* realmente interesante.

5. En esta empresa todos los problemas que *hay* / *haya* son resultado de una mala organización.

6. Ven, voy a enseñarte el retroproyector que *queremos* / *queramos* comprar.

7. Perdonen ustedes, pero ¿hay alguien que *sabe* / *sepa* cómo funciona este aparato?

8. Estamos buscando una persona a la que le *gusta* / *guste* tratar con la gente.

9. Hemos lanzado un producto que *está* / *esté* dirigido a un público muy joven.

10. ¿Sabes ya en qué hotel *vamos* / *vayamos* a alojarnos durante el congreso?

14 Completa las frases con la forma correcta del Indicativo o del Subjuntivo.

1. No hay ninguna base de datos que (poder) _____ ofrecer tanta información.

2. He fotocopiado todas las páginas que tú (necesitar) _____.

3. Hay muchas salas de conferencias que (tener) _____ capacidad para más de 100 personas.

4. No hemos visto ningún gráfico que (ser) _____ representativo de la situación de la empresa.

5. ¿Sabes si hay alguna fotocopiadora que (hacer) _____ transparencias a color?

6. No he encontrado a nadie que (saber) _____ cocinar bien.

7. Conseguirá el puesto de trabajo el que mejor (hacer) _____ la entrevista.

8. A nadie le (gustar) _____ trabajar los sábados.

9. Ya hemos visto los modelos que (querer) _____ comprar para nuestra tienda.

10. ¿Conoces a alguien que (hablar) _____ ruso o japonés?

15 **A.** Vas a escuchar cuatro conversaciones. ¿Qué pasa en cada una de ellas? Coméntalo con tu compañero.

1. _____

2. _____

3. _____

4. _____

B. Escucha otra vez y marca el diálogo en que se dicen las frases siguientes.

Frases	diálogo 1	diálogo 2	diálogo 3	diálogo 4
A. Quiero encontrar un tema interesante que esté relacionado con el mundo de la empresa.				
B. Busco a alguien que sea ordenado y que no tenga animales de compañía.				
C. Necesitamos una sala que tenga capacidad para 200 personas.				
D. Tenemos que encontrar a alguien que pueda empezar esta semana.				

C. Y tú, ¿necesitas o estás buscando algo o a alguien que tenga unas características determinadas? Descríbelo en un papel sin poner tu nombre y, a continuación entrega el papel a tu profesor.

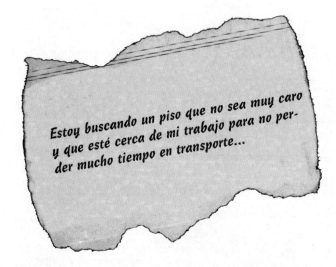

Estoy buscando un piso que no sea muy caro y que esté cerca de mi trabajo para no perder mucho tiempo en transporte...

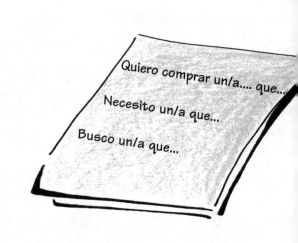

Quiero comprar un/a.... que...

Necesito un/a que...

Busco un/a que...

D. Escucha lo que lee el profesor. ¿A quién crees que corresponden las frases?

16 ¿Qué pregunta corresponde a las siguientes respuestas?

¿Qué te han dicho?　　¿Cuál ha sido más interesante?　　¿Cuál de las dos corbatas vas a comprar?

¿Qué prefieres: un hotel en el centro o en una zona más tranquila?　　¿Cuáles vas a proyectar?

¿Y cuál de los dos gráficos te parece más claro?　　¿Qué decimos al principio?　　¿Qué quieres?

1. ✧ _____
   ★ Un café, por favor.

2. ✧ _____
   ★ La azul, me gusta más.

3. ✧ _____
   ★ Nada, damos las gracias a todos por venir y empezamos...

4. ✧ _____
   ★ No sé, las que mejor se vean. Las más bonitas.

5. ✧ _____
   ★ Que hagamos más fotocopias porque hay más de setenta personas apuntadas.

6. ✧ _____
   ★ El de las barras; el otro es muy confuso.

7. ✧ _____
   ★ Me da igual. Lo más importante es que esté bien comunicado.

8. ✧ _____
   ★ La de esta mañana; ha estado muy bien.

17 En parejas.

Alumno A	Alumno B
A. Aquí tienes cuatro empresas. Imagina que tienes dinero para invertir. ¿Cuál eliges? Prepara las preguntas que plantearías para saber si la inversión merece la pena o no.	**A.** ¿En cuál de estas empresas te gustaría trabajar? Elige una y a partir de la ficha prepara un pequeño texto que explique más cosas de la empresa para convencer a un posible socio.

SECTOR: OCIO
NOMBRE: DIVERTODO
ACTIVIDAD: Es una empresa que tiene como lema "Imposible aburrirse". Ofrecen un espacio donde los padres pueden dedicarse a una serie de distracciones como aprender a bailar salsa o ponerse en forma en una clase de aeróbic. En una zona diferente, pero dentro de las mismas instalaciones, los hijos pueden realizan actividades lúdicas y educativas.

SECTOR: OCIO
NOMBRE: TUFIESTA
ACTIVIDAD: Empresa dedicada a la organización de cualquier tipo de fiesta: desde una fiesta de cumpleaños infantil hasta una boda, pasando por despedidas de soltero, cenas de Navidad de empresas, etc. Cuentan con locales especiales pero también ofrecen sus servicios "a domicilio".

SECTOR: SERVICIOS
NOMBRE: SÓLO ROSAS
ACTIVIDAD: Franquicia dedicada al cultivo y a la distribución de rosas de todos tipos y colores. El transporte dentro de la misma ciudad es gratuito. Ofrecen un bono descuento a partir de cinco pedidos en dos meses. Cuentan con tiendas repartidas por todo el país.

SECTOR: SERVICIOS
NOMBRE: PLANCHA EN CASA
ACTIVIDAD: Empresa familiar con larga tradición. Además de sus habituales servicios de lavado en seco, ofrecen un servicio de lavado y planchado con recogida y entrega a domicilio. La entrega y la recogida son gratuitas a partir de los 10 kilos de ropa.

B. Busca a un compañero que sea representante de la empresa que has elegido y pregúntale lo que quieres saber.

B. Busca a un compañero que esté interesado en tu empresa u convéncelo para que invierta en ella.

Felicitaciones y despedidas

Ejercicios

1 ¿Quién crees que puede haber escrito estas tarjetas? ¿Con qué motivo?

	¿Quién?	Motivo
Tarjeta 1		
Tarjeta 2		
Tarjeta 3		

①

Hotel
El SOL***

Estimado cliente:

Esperamos que haya disfrutado de su estancia entre nosotros. Reciba este pequeño obsequio como recuerdo, y si tiene alguna sugerencia que hacernos, estaremos encantados de recibirla.

Una vez más, gracias por haber elegido nuestro servicio.

Un cordial saludo,

②

Que pases un feliz día, que tengas muchos regalos y que cumplas muchos, pero que muchos más...

(...y que lo podamos celebrar siempre juntos...)

¡¡¡Felicidades!!!

Besitos y besazos

¡¡¡Felicidades!!!

③

Querida Isabel:

Quiero que sepas que siento mucho lo de tu padre. Ya sabes que puedes contar conmigo para cualquier cosa que necesites.

Recibe un fuerte abrazo,

2 **A.** Lee estas tarjetas. ¿En qué época del año crees que se envían? ¿Por qué?
¿Cuál de las dos te gusta más? Coméntalo con tu compañero.

1

Gracias por seguir confiando en nosotros.

Reciba un cordial saludo y nuestros mejores deseos.

Que la paz y la armonía de las Fiestas de Navidad

continúen durante todo el próximo año.

Atentamente,

Álvaro Sauca
Consejero Delegado

2

Felices fiestas y próspero año nuevo

VITA SEGUROS

✧ A mí me gusta mucho más la primera porque...

B. Tu escuela ha convocado un concurso para elegir una tarjeta para felicitar la Navidad y/o
el nuevo año. Piensa cómo va a ser tu tarjeta y escribe el texto que la va a acompañar.

3 ¿Qué le regalarías a un compañero de trabajo o de clase que se va a otro
lugar? Escribe una tarjeta de despedida para acompañar tu regalo.

4 **A.** Lee las frases y piensa en qué situaciones podrían decirse. Coméntalo con tu compañero.

1. Me alegro mucho de que todo haya ido bien.

_____

2. ¡Qué pena que no hayas venido!

_____

3. Esperamos que hayan disfrutado de su estancia.

_____

4. ¿Cómo es posible que hayamos pagado tanto?

_____

5. ¡Qué raro que no me haya dicho nada!

_____

 **B.** Ahora escucha y comprueba.

5 Relaciona las dos columnas.

1. ¡He comprado un décimo de lotería!

2. Estoy agotado y tengo un sueño...
   Me voy a dormir. Hasta mañana.

3. Mañana operan a Estrella.

4. He suspendido otra vez... Estoy harta.
   Estaba tan nerviosa...

5. A ver si te gusta. No sabíamos qué comprarte...

6. ¡Qué pena que no nos dé tiempo de ir al cine...!

7. ¡Adiós! Te llamo cuando llegue.

a. ¡Ojalá salga todo bien!

b. ¡Cuánto lo siento! A ver si la próxima vez
   tienes más suerte.

c. Es que no teníais que haber comprado nada.
   No hacía falta...

d. Sí, a ver si mañana salgo antes y podemos ir.

e. ¡Que tengas buen viaje!

f. ¡Ojalá nos tocara! Nos vendría tan bien
   el dinero para terminar de pagar el piso.

g. ¡Que descanses!

6 **A.** Compara las frases. ¿Cuándo crees que se se utiliza el Infinitivo Pasado y cuándo el Pretérito Perfecto de Subjuntivo? Coméntalo con tu compañero.

Infinitivo Pasado:	Pretérito Perfecto de Subjuntivo:
haber + Participio	Presente de Subjuntivo del verbo haber + Participio
Siento no haber escrito antes.	*¡Siento mucho que no hayáis llegado a tiempo!*

1
a. Sentimos mucho no haber podido ir al funeral.
b. Sentimos mucho que no hayáis podido quedaros más tiempo.

2
a. Me alegro mucho de que hayas solucionado el problema con Ana.
b. Me alegro mucho de haberos visto.

3
a. Me da pena que te vayas.
b. Me da pena no haber visto a María.

✧ El Infinitivo Pasado se usa...

B. ¿Qué dirías en las siguientes situaciones?

1. Hace mucho tiempo que tu coche está en el taller y todavía no lo han arreglado.
   ¿Cómo es posible que _____?

2. Has llegado tarde a una reunión.
   Siento mucho _____.

3. Un amigo tuyo ha conseguido solucionar un problema que tenía con el banco.
   Me alegro mucho de que _____.

4. Has estado de viaje y no has podido ir a ver a un amigo tuyo que estaba en el hospital.
   Siento mucho no _____.

5. Te encuentras por casualidad con unos amigos en el aeropuerto. Hacía mucho tiempo que no los veías.
   Me alegro mucho de _____.

6. Un compañero tuyo ha hecho la presentación de un proyecto en el que tú has participado. Has llegado tarde y no has podido verla.
   Me da pena no _____.

7. Un amigo tuyo no ha aprobado el examen final.
   Siento mucho que _____.

8. Celebras una fiesta y unos amigos tuyos que no sabían si podrían ir a tu fiesta, al final, van.
   ¡Qué alegría que _____!

7　**A.** Marca las frases que podrías decir de ti mismo.

☐ 1. Me molesta que me llamen por teléfono después de las 10 de la noche.

☐ 2. A mi profesor(a) no le importa que llegue tarde a clase.

☐ 3. A mis vecinos no les gusta que escuche música a todo volumen.

☐ 4. En mi empresa, no solemos celebrar los cumpleaños.

☐ 5. Odio tener que esperar, no soporto que mis amigos lleguen tarde.

☐ 6. A mi familia le encanta reunirse para celebrar la Navidad.

☐ 7. Me pone de mal humor que la gente hable en el cine mientras veo la película.

☐ 8. Me apasiona ir al teatro a escuchar una buena ópera.

B. Ahora, en un papel, escribe:

- una cosa que te molesta　　　　- una cosa que no soportas
- una cosa que te gusta　　　　　- una cosa que te encanta

C. Entrega el papel a tu profesor sin escribir tu nombre.

D. Lee el papel que te ha dado tu profesor. ¿Sabes quién lo ha escrito?

8　Elige una de las siguientes situaciones y escribe una nota o una tarjeta de disculpa.

Situación 1

Trabajas en un hotel, en el Departamento de Relaciones Públicas. Miras el libro de reclamaciones y ves que un cliente, que ya no está alojado en el hotel, se quejó varias veces durante su última noche. El motivo de la queja era que en la habitación contigua el volumen de la televisión estaba altísimo.

Situación 2

Has estado en casa de un amigo durante un fin de semana que él no estaba. Al sacar los platos del lavavajillas, se han roto varios.

Situación 3

Trabajas en el departamento comercial de una compañía telefónica. Habéis recibido una carta de protesta de un cliente que lleva más de un mes esperando que le arreglen la conexión telefónica. El cliente amenaza con explicar el problema a una asociación de atención al consumidor.

Situación 4

Un amigo te dejó hace un año una novela. Ahora te la ha pedido pero tú no recuerdas dónde la tienes. Crees que la has perdido. Has intentado comprarla pero no la encuentras en ninguna librería.

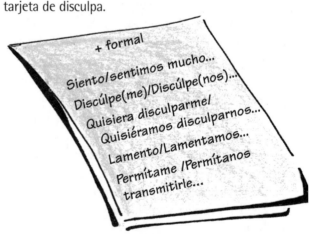

+ formal

Siento/sentimos mucho...
Discúlpe(me)/Discúlpe(nos)...
Quisiera disculparme/
Quisiéramos disculparnos...
Lamento/Lamentamos...
Permítame /Permítanos transmitirle...

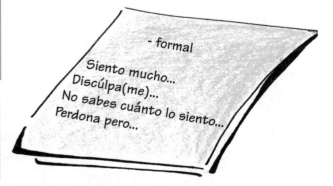

- formal

Siento mucho...
Discúlpa(me)...
No sabes cuánto lo siento...
Perdona pero...

9 ¿Qué verbos corresponden a estos sustantivos?

1. el nacimiento	

2. la jubilación	

3. el divorcio	

4. la licenciatura	

5. la boda	

6. el fallecimiento	

7. el cumpleaños	

8. la separación	

10 **A.** Lee este correo electrónico. ¿Qué cosas le sorprenden a Margaret?

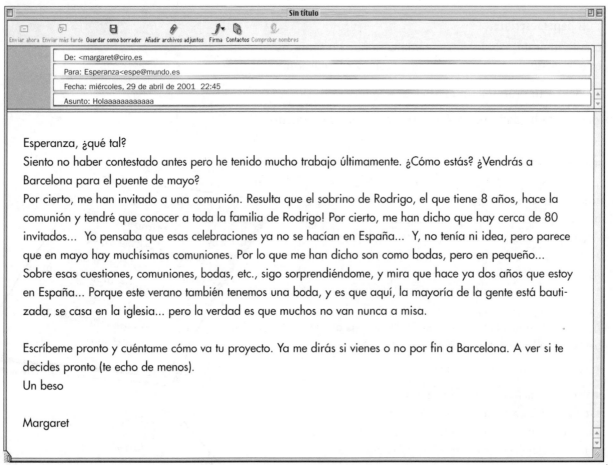

Sin título

Enviar ahora   Enviar más tarde   Guardar como borrador   Añadir archivos adjuntos   Firma   Contactos   Comprobar nombres

De: <margaret@ciro.es

Para: Esperanza<espe@mundo.es

Fecha: miércoles, 29 de abril de 2001 22:45

Asunto: Holaaaaaaaaaaaa

Esperanza, ¿qué tal?

Siento no haber contestado antes pero he tenido mucho trabajo últimamente. ¿Cómo estás? ¿Vendrás a Barcelona para el puente de mayo?

Por cierto, me han invitado a una comunión. Resulta que el sobrino de Rodrigo, el que tiene 8 años, hace la comunión y tendré que conocer a toda la familia de Rodrigo! Por cierto, me han dicho que hay cerca de 80 invitados... Yo pensaba que esas celebraciones ya no se hacían en España... Y, no tenía ni idea, pero parece que en mayo hay muchísimas comuniones. Por lo que me han dicho son como bodas, pero en pequeño... Sobre esas cuestiones, comuniones, bodas, etc., sigo sorprendiéndome, y mira que hace ya dos años que estoy en España... Porque este verano también tenemos una boda, y es que aquí, la mayoría de la gente está bautizada, se casa en la iglesia... pero la verdad es que muchos no van nunca a misa.

Escríbeme pronto y cuéntame cómo va tu proyecto. Ya me dirás si vienes o no por fin a Barcelona. A ver si te decides pronto (te echo de menos).

Un beso

Margaret

B. ¿Y a ti? ¿Te ha sorprendido algo del texto? Coméntalo con tu compañero.

C. ¿Qué crees que escribiría un español o una española si estuviera en tu país? ¿Qué cosas crees que le sorprenderían? Imagina que tú eres esa persona y escribe un correo electrónico.

11 Completa este discurso de despedida de un trabajador a sus compañeros de trabajo.

| agradeceros | Ojalá | Que tengáis | vinierais |
| haber venido | Me da mucha pena | haberos molestado | Disculpadme |

"Muchas gracias por (1) _____ a mi despedida. También me gustaría daros las gracias por este regalo tan bonito... No teníais que (2) _____ . Antes de irme, me gustaría (3) _____ todo lo que habéis hecho por mí. (4) _____ marcharme y dejar este ambiente de trabajo, sobre todo, dejaros a vosotros que habéis sido unos compañeros fabulosos... Si me voy de la empresa no es por nada más que porque, ya me conocéis, no puedo estar mucho tiempo en el mismo lugar: necesito cambios en mi vida... Por eso, nunca he querido comprarme una casa aunque me encanta esta ciudad. Necesito probar otras cosas. Ya sabéis, los viajes son mi pasión. (5) _____ por la cantidad de trabajo que os he dado, especialmente cuando empecé a trabajar y tuvisteis que enseñarme a hacer todo lo que no sabía. Me gustaría que todos tuvierais un recuerdo de mí tan bueno como el que yo tengo de vosotros, y por supuesto, me encantaría que (6) _____ a visitarme. (7) _____ mis nuevos compañeros se parezcan un poquito a vosotros. Os lo digo de corazón, gracias por todo.... ¡(8) _____ todos mucha salud y mucha suerte!"

12 **A.** Aquí tienes dos discursos desordenados. ¿Puedes ordenarlos?

DISCURSO 1
1. Antes de empezar la reunión de hoy me gustaría aprovechar para dar la bienvenida al señor Bueno,

2.

3.

4.

DISCURSO 2
A. Queremos que sepas que has sido un compañero

B.

C.

D.

☐ con sus conocimientos y con su experiencia para dirigir el Departamento de Investigación y Desarrollo. Estoy convencido de que haremos todo lo posible

☐ de trabajo ejemplar y que te echaremos de menos. Esperamos que te quede un buen recuerdo de los años que has pasado con nosotros

☐ en nombre del presidente general, el Señor Alcocer, y de todos los empleados de nuestra empresa. A partir de ahora tendremos el privilegio de contar

☐ siempre abiertas para ti. ¡Que tengas muchísima suerte! Y, sobre todo, ¡que seas feliz!

☐ para que se encuentre a gusto entre nosotros y para facilitarle, en todo momento, todo lo que necesite para poder realizar sus funciones con éxito.

☐ y que tengas mucha suerte en tu futuro trabajo. Sabes que, si algún día lo necesitas, las puertas de esta empresa estarán

B. ¿Cuál es el motivo de cada uno de los discursos? ¿A quién van dirigidos?

13 A. ¿Recuerdas cómo es la forma de la 3ª persona del plural (ellos, ellas, ustedes) del Pretérito Indefinido de estos verbos?

felicitar	*felicitaron*
decir	
pedir	
agradecer	
saber	
poder	

ir	
recibir	
estar	
morir	
ofrecer	
dar	

B. Fíjate en la forma del Pretérito Imperfecto de Subjuntivo. ¿Puedes explicar cómo se forma teniendo en cuenta el apartado anterior?

cambiar	cambia-	-ra / -se
vender	vendie-	-ras / -ses
escribir	escribie-	-ra / -se
		-ramos / -semos*
		-rais / -seis
poner	pusie-	-ran / -sen

*La primera persona del plural se acentúa: cambiáramos, vendiéramos...

C. Ahora conjuga estos verbos en Imperfecto de Subjuntivo.

(ellos) felicitar	*felicitaran/felicitasen*
(yo) decir	
(usted) pedir	
(tú) agradecer	
(nosotras) saber	
(él) poder	

(yo) ir	
(vosotros) recibir	
(ustedes) estar	
(tú) morir	
(ellas) ofrecer	
(nosotros) dar	

14 En una revista han publicado este test de personalidad. ¿Quieres saber si
eres una persona sensible? Haz el test y descubre qué tipo de persona eres.

¿CONTROLA SUS EMOCIONES?

**1. Si mi pareja o mis amigos más íntimos
se olvidaran de felicitarme el día de mi cumpleaños:**

☐ a. me enfadaría mucho con ellos y se lo diría.

☐ b. me enfadaría con ellos pero no se lo diría.

☐ c. no le daría demasiada importancia.

**2. Si tomara un taxi para llegar a una cita importante
y hubiese un gran atasco:**

☐ a. me pondría muy nervioso/a y miraría el reloj cada dos por tres.

☐ b. me molestaría un poco y, al llegar, pediría disculpas por el retraso.

☐ c. aprovecharía para leer el periódico.

**3. Si un compañero me hiciese una pregunta
en medio de un examen:**

☐ a. no le haría caso.

☐ b. me sentiría incómodo y no sé qué haría.

☐ c. si el profesor no me viera, lo ayudaría.

**4. Si en una reunión alguien me gastara una broma y
todo el mundo se riera de mí:**

☐ a. me enfadaría un poco.

☐ b. haría un esfuerzo por sonreír.

☐ c. me reiría y no le daría importancia.

**5. Si después de trabajar mucho en un proyecto mi
jefe me hiciera una crítica poco positiva:**

☐ a. me sentaría mal la crítica y defendería el proyecto.

☐ b. aceptaría la crítica pero sólo si tuviera razón.

☐ c. le pediría otra semana para rehacer el proyecto.

**6. Si en una reunión importante me quedase en
blanco, sin saber qué decir:**

☐ a. me pondría colorado e intentaría disimular.

☐ b. me pondría un poco nervioso y pediría perdón.

☐ c. lo diría claramente; a todo el mundo le puede pasar.

**7. Si una mañana mi jefe se pusiese a cantar
en voz alta en la oficina:**

☐ a. pensaría: "se ha vuelto loco".

☐ b. continuaría con mi trabajo.

☐ c. si lo hiciera bien, aplaudiría y le gastaría alguna broma.

**8. Si recibiese un ramo de rosas
rojas sin tarjeta:**

☐ a. no lo aceptaría de ninguna manera.

☐ b. me pondría colorado pero me las quedaría.

☐ c. sabría perfectamente quién me las envía y por qué.

9. Si suspendiera un examen:

☐ a. pediría un revisión del examen. Yo nunca suspendo.

☐ b. no se lo diría a nadie.

☐ c. intentaría hacerlo mejor la próxima vez.

10. Si consiguiera realizar algo muy importante en mi trabajo:

☐ a. se lo contaría a todo el mundo y lo celebraría con mis amigos.

☐ b. sólo se lo contaría a mi familia y a mis amigos más íntimos.

☐ c. no se lo contaría a nadie.

Respuestas:

Mayoría de respuestas "a": Es usted una persona claramente emotiva. Esto puede ser bueno o malo; todo dependerá de cómo sepa controlar sus sentimientos, sus alegrías o tristezas. Además, a veces es mejor pensar en uno mismo y actuar, que esperar cosas de los otros.

Mayoría de respuestas "b": Es usted una persona sensible que intenta controlar al máximo sus emociones. No hay que tener miedo de expresar las emociones y sentimientos. Lo más importante es ser uno mismo.

Mayoría de respuestas "c": Algunos expertos dirían que es usted una persona que sabe perfectamente cómo y cuándo expresar sus sentimientos manteniendo un buen equilibrio emocional.

15 **A.** En parejas. Trabajáis en el Departamento de Recursos Humanos de una empresa. Queréis elaborar un cuestionario para contratar a un jefe de departamento. ¿Qué seis situaciones hipotéticas plantearíais a los candidatos para evaluar su capacidad para el cargo?

Departamento de Recursos Humanos

CUESTIONARIO PARA JEFES DE DEPARTAMENTO

Pregunta 1: ¿Qué haría usted si una de las personas que trabaja en su departamento llegara todos los días tarde?

Pregunta 2:

Pregunta 3:

Pregunta 4:

Pregunta 5:

Pregunta 6:

B. Pedid a otro compañero que responda a vuestro cuestionario y decidid si lo contratarías como jefe de departamento.

16 **A.** Piensa en tres personas importantes para ti. Escribe sus nombres.

B. ¿Qué desearías para esas personas? Escríbelo.

 ◇ Me gustaría que mi hermano estudiara Medicina.

C. ¿Y para ti? ¿Qué desearías?

 ◇ Me gustaría...

me gustaría
+
Infinitivo

me gustaría que
+
Imperfecto de Subjuntivo

17 **A.** Completa las frases. Utiliza los verbos **acordarse** o **recordar**.

1. Quiero llamar a Alberto y no _____ de su número de teléfono.
2. ¿ _____ aquella época? Estaba de moda el color amarillo y tú ibas siempre vestida de negro para llevar la contraria.
3. ¡Qué pena! No _____ de traer el vino. Lo hemos comprado esta misma mañana y nos lo hemos dejado encima de la mesa de la cocina.
4. ✧ ¿A qué hora has quedado?
   ★ Ay, pues ahora no _____.
5. Nunca _____ de los nombres de mis alumnos.
6. _____ que cuando trabajaba en aquella fábrica me levantaba muy temprano.
7. No _____ de qué día llegó. Tengo una memoria...
8. ¿_____ cómo era tu casa cuando eras pequeño?

B. Ahora completa el cuadro.

Acordarse – recordar

Los dos verbos equivalen a "traer datos del pasado a la mente" y en muchos casos se pueden usar los dos: "Me acuerdo del día en que empezó el curso" o "Recuerdo el día que empezó el curso". Sin embargo, se usa con más frecuencia el verbo _____ para referirse al hecho de tener o no en la memoria informaciones concretas y el verbo _____ para evocar situaciones, acontecimientos o escenarios del pasado.

18 ¿Con qué verbos relacionas estos sustantivos? Puede haber varias posibilidades.

un regalo   perdón   el pésame   las gracias   un favor
una cita   un aniversario   un consejo   una fiesta   disculpas
un cumpleaños   permiso   la enhorabuena   una boda   pena

dar	pedir	agradecer	celebrar

COMPRUEBA TUS CONOCIMIENTOS

1 Elige la opción más adecuada.

1. _____ cobertura ofrezca una póliza, _____ siniestros cubrirá.
   - ☐ a. cuanta menos/menor
   - ☐ b. cuanta más/más
   - ☐ c. menos/mayor
   - ☐ d. cuanta menos/más

2. El seguro ofrece asistencia sanitaria en cualquier lugar del país e _____ en el extranjero.
   - ☐ a. además
   - ☐ b. aparte
   - ☐ c. incluso
   - ☐ d. excepto

3. Al final, he contratado un seguro _____ para el coche.
   - ☐ a. con todos los riesgos
   - ☐ b. para tercero
   - ☐ c. a segundos
   - ☐ d. a todo riesgo

4. A mí me parece que _____ las dos propuestas es buena.
   - ☐ a. cualquiera de
   - ☐ b. cualquier
   - ☐ c. cualquiera
   - ☐ d. cualquier de

5. Cuando firmé el contrato me aseguraron que todo _____ cubierto.
   - ☐ a. estuvo
   - ☐ b. estará
   - ☐ c. estaba
   - ☐ d. esté

6. Tengo que esperar a que venga el _____ para evaluar los daños.
   - ☐ a. perito
   - ☐ b. seguro
   - ☐ c. consultorio
   - ☐ d. siniestro

7. _____ todos ustedes saben, nuestra empresa se fundó hace más de 50 años.
   - ☐ a. Y ahora
   - ☐ b. Si
   - ☐ c. Como
   - ☐ d. Porque

8. ¿Conoces a alguien que _____ más de seis hermanos?
   - ☐ a. tiene
   - ☐ b. tenga
   - ☐ c. tendrá
   - ☐ d. tendría

9. Hoy tenemos con nosotros al profesor Guzmán, _____ tengo el gusto de presentarles.
   - ☐ a. quien
   - ☐ b. a que
   - ☐ c. a quien
   - ☐ d. que

10. A _____ le gusta equivocarse cuando habla en público.
    - ☐ a. alguien
    - ☐ b. ningún
    - ☐ c. cualquiera
    - ☐ d. nadie

11. Es muy importante tener en cuenta el material _____ vamos a trabajar.
    - ☐ a. con el que
    - ☐ b. con cual
    - ☐ c. con quien
    - ☐ d. cual

12. No vamos a encontrar _____ empresa que _____ ese servicio.
    - ☐ a. alguna/ofrezca
    - ☐ b. ninguna/ofrezca
    - ☐ c. ninguna/ofrece
    - ☐ d. alguna/ofrece

13. A mí me gustaría que nos _____ más vacaciones.
    - ☐ a. den
    - ☐ b. dan
    - ☐ c. hayan dado
    - ☐ d. dieran

14. ¡Ojalá _____ suerte y _____ el examen!
    - ☐ a. tengas/aprobarías
    - ☐ b. tengas/apruebes
    - ☐ c. tengas/aprobarás
    - ☐ d. tengas/apruebas

15. Si _____ más tiempo libre, _____ a tocar algú instrumento.
    - ☐ a. tendría/aprendería
    - ☐ b. tenga/aprenderé
    - ☐ c. tuviera/aprendería
    - ☐ d. tendré/aprenderé

16. Espero que _____ un día tranquilo.
    - ☐ a. hayas tenido
    - ☐ b. has tenido
    - ☐ c. tendrías
    - ☐ d. tienes

17. Y ahora, vamos a brindar... ¡_____ Antonio!
    - ☐ a. Por
    - ☐ b. A
    - ☐ c. Para
    - ☐ d. Con

18. Siento mucho no _____ antes.
    - ☐ a. escribiré
    - ☐ b. escribiera
    - ☐ c. haber escrito
    - ☐ d. escriba

19. ¡Qué raro que no nos _____ todavía la factura del teléfono!
    - ☐ a. llegaría
    - ☐ b. haya llegado
    - ☐ c. llegaba
    - ☐ d. ha llegado

20. Nunca _____ del día de cumpleaños de Enrique.
    - ☐ a. recuerdo
    - ☐ b. acuerdas
    - ☐ c. me acuerdo
    - ☐ d. me recuerdas

Resultado: _____ de 20

2 Lee las condiciones de una compañía aérea respecto a la responsabilidad para vuelos internacionales y responde a las preguntas.

LIMITACIÓN DE RESPONSABILIDAD PARA VUELOS INTERNACIONALES

Se informa a los pasajeros que viajan hacia, desde o con parada en Estados Unidos, y tengan un contrato especial de transporte, que la responsabilidad de la compañía está limitada a daños personales que no excedan de 75 000 US$ por pasajero.

En el caso de aquellos pasajeros que viajan utilizando los servicios de un transportista con el que no hayan suscrito un contrato especial o, en un viaje que no tenga su origen, finalice o tenga una parada en algún lugar de los Estados Unidos, la responsabilidad de la compañía está limitada a daños personales que no excedan 20 000 US$.

Por lo general, se puede conseguir una protección adicional contratando una póliza de seguros con una empresa privada. Para obtener información complementaria, le rogamos consulte a su compañía aérea o a su compañía de seguros.

LIMITACIÓN DE RESPONSABILIDAD POR EQUIPAJE

La indemnización por pérdida, retraso o daño del equipaje es limitada, excepto en el caso de que se haya declarado un valor más alto y hayan sido pagados los cargos adicionales. Para la mayoría de los viajes internacionales, el límite de responsabilidad es aproximadamente 20,00 US$ por kilo para el equipaje facturado y 400 US$ por pasajero para el equipaje de mano. Para viajes realizados totalmente en el interior de los Estados Unidos, el límite de responsabilidad es de 1250 US$ por pasajero. La compañía no se hace responsable de animales, joyas, documentos o cualquier artículo u objeto frágil.

1. Si un pasajero tiene un accidente dentro de un avión en un trayecto de Madrid a Berlín, ¿qué indemnización máxima puede recibir de la compañía?

2. ¿En qué caso la indemnización puede ser superior a 75 000 US$?

3. ¿Tiene derecho a indemnización un pasajero que recibe su equipaje en perfecto estado pero una semana más tarde?

4. ¿Qué pasajero puede recibir una indemnización más alta por pérdida de su equipaje: un pasajero que vuela de Madrid a Sydney o un pasajero que vuela de Nueva York a Chicago?

5. ¿Por la pérdida de cuál o cuáles de estos artículos recibirías una indemnización: un jarrón de cristal, una cámara fotográfica, un reloj de oro, unos zapatos?

Resultado: _____ de 10

3 ¿A qué situación crees que corresponde cada diálogo?

☐ - alguien llega a una reunión
☐ - alguien está buscando trabajo
☐ - alguien sale de casa
☐ - alguien está esperando una respuesta de un cliente
☐ - alguien ha cenado en casa de unos amigos

Resultado: _____ de 10

4 Imagina que dejas una empresa donde has trabajado en los últimos tres años. Tus compañeros te han organizado una cena. Escribe un discurso de despedida.

Resultado: _____ de 10

TOTAL: _____ DE 50